Famille futée

75 RECETTES SANTÉ À MOINS DE 5$ PAR PORTION

Geneviève O'Gleman,
nutritionniste et
Alexandra Diaz, animatrice

ÉDITIONS LA SEMAINE
Charron Éditeur inc.
Une société de Québecor Média
1055, boul. René-Levesque Est, bureau 205
Montréal (Québec) H2L 4S5

Directrice des éditions : Annie Tonneau
Directrice artistique : Lyne Préfontaine
Coordonnateur aux éditions : Jean-François Gosselin
Infographiste : Marylène Gingras
Scanneristes : Éric Lépine, Michel Mercure
Réviseurs-correcteurs : Jean-François Bélisle, Nathalie Ferraris, Véronique Papineau, Marie Théoret

Photo de la page couverture : Alexandre Champagne
Stylisme de la page couverture : Sophie Carrière, Alexandra Diaz, Geneviève O'Gleman, Lyne Préfontaine
Photos d'ambiance : Alexandre Champagne (chapitres 2, 4, 7, 8, 9),
    Caroline de la Ronde, assistée de Stéphanie de la Ronde (chapitres 1, 2, 3, 5, 6)
Photos des recettes : Sophie Carrière
Accessoiriste culinaire : Sophie Carrière
Stylistes culinaires : Sophie Carrière, Alexandra Diaz, Geneviève O'Gleman, Isabelle Poirier (assistée de Henri)
Analyse nutritionnelle : Isabelle Poirier
Standardisation des recettes : Isabelle Poirier
Stylisme vestimentaire : Alexandra Diaz
Vêtements : Billie Boutique, 1012, avenue Laurier Ouest, Montréal (Québec) H2V 2K8
Bijoux : Agatha Paris, 1054, avenue Laurier Ouest, Outremont (Québec) H2V 2K8
Maquillage et coiffure : Brigitte Gareau, Anouk Diaz
Assistant de production : Julian Diaz
Demandes d'entrevues : Sophie Traversy
Transcription des entrevues : Marianne Cartier, Carmen Desmeules, Mélissa Duval,
    Marie-Philippe Jean, Caroline Larose
Script éditeur : Isabelle Massé
Intérieurs : Espace Sophie C (page couverture), Sophie Banford (maison et chalet),
    Marché Jean-Talon, Aliments Merci, Poissonnerie Aqua Mare
Relations de presse : BICOM Communications, 514 223-6770, info@bicom.ca

L'Éditeur bénéficie du soutien de la Société de développement des entreprises
    culturelles du Québec (SODEC) pour son programme d'édition.

Nous reconnaissons l'aide financière du gouvernement du Canada par
    l'entremise du Fonds du livre du Canada pour nos activités d'édition.

Remerciements
Gouvernement du Québec — Programme du crédit d'impôt
    pour l'édition de livres — Gestion SODEC

© Charron Éditeur Inc.
Dépôt légal : troisième trimestre 2013
Bibliothèque et Archives nationales du Québec
Bibliothèque et Archives Canada
ISBN (version imprimée) : 978-2-89703-128-2
ISBN (version électronique) : 978-2-89703-129-9

Famille futée

75 RECETTES SANTÉ À MOINS DE 5$ PAR PORTION

Geneviève O'Gleman,
nutritionniste et
Alexandra Diaz, animatrice

ÉDITIONS
LA SEMAINE
Une société de Québecor Média

Il y a une idée qui nous guide et qui nous unit: l'entraide.

Ce livre, nous l'avons désiré pour simplifier nos vies de parents pressés et pour dédramatiser notre quotidien avec humour et gros bon sens.

Nous avons aussi fait appel à d'autres parents futés pour nous épauler. Nous ne détenons pas la vérité, et le vécu de chaque parent, si loin du nôtre soit-il, peut servir à nous faire voir les choses autrement. On a imaginé un lieu, comme un perron d'église, où des parents de tous horizons et de toutes générations se regrouperaient pour échanger en parlant de ce qu'ils ont de plus précieux au monde: leurs enfants.

Vous trouverez donc dans ce livre de nombreux trucs et conseils, les nôtres et ceux de tous les parents qui y ont contribué. Certains ont changé notre vie, d'autres nous ont touchées ou fait crouler de rire. Nous sommes convaincues que lorsque vient le temps de prendre soin de nos enfants, chaque petit geste compte, et c'est la somme de toutes ces attentions qui fait une différence. On pratique la théorie des petits pas sans se mettre de pression. À nos yeux, les solutions universelles n'existent pas. Comme chaque enfant est unique, ainsi que chaque famille. Certains trucs auront du succès chez vous et d'autres, pas du tout! Il s'agit de trouver ceux qui font écho en vous. Chaque parent est l'expert de son enfant. Mais on est souvent bien curieux de savoir comment ça se passe chez le voisin!

On pense que le meilleur endroit pour souder une famille, c'est autour de la table. Qu'elle soit en ordre ou en désordre, la cuisine demeure le lieu de tous les partages et on y fabrique nos plus beaux souvenirs. Il n'y a pas de plus grande satisfaction que de voir nos enfants se régaler et redemander de ce qu'on a cuisiné pour eux avec amour. Dans la rue, à l'école, sur nos réseaux sociaux, vous nous avez demandé un livre avec les recettes de notre émission *Cuisine futée, parents pressés*. Le voici. En plus, nous l'avons bonifié de nombreuses nouvelles recettes. Que ce soit pour vous apaiser, vous distraire, vous déculpabiliser ou vous rassurer, nous vous souhaitons beaucoup de plaisir au fil des pages de ce livre.

Geneviève Alex

Nos personnalités futées

Jonathan Painchaud,
auteur-compositeur-interprète, papa de Téa (4 ans)

Je viens d'une famille hors-norme. Mes parents étaient hippies, bohèmes, artistes et anticonformistes. J'ai eu de belles libertés. Ils me laissaient expérimenter. Il n'y a jamais eu d'heure de souper. Et comme je suis de nature brouillonne, ce n'était rien pour m'aider ! Jeune, j'ai fait beaucoup d'arts martiaux, parce que j'avais besoin de discipline, de rigueur. Malgré tout, j'essaie d'inculquer à ma fille ce que mes parents m'ont offert. Je veux stimuler sa créativité, l'amener à développer son instinct et l'inciter à se questionner sur tout. Car ce n'est pas parce qu'un adulte lui raconte quelque chose que c'est la vérité. (p. 27-98-151-255)

Josée Boudreault,
animatrice, maman de Chloé (12 ans), d'Annabelle (5 ans)
et de Flavie (3 ans)

Étant donné que j'estime avoir été bien éduquée, je transmets à mes filles beaucoup de choses que j'ai reçues de mes parents, comme le respect d'autrui et une vision positive de la vie. Mes parents avaient du gros bon sens. Pour certaines choses, ils étaient sévères, et pour d'autres, c'était « lousse ». Je veux donc donner du temps de qualité à mes enfants, mais j'offre ce que je peux. J'ai choisi d'avoir une carrière. J'ai aussi choisi d'être une bonne blonde. Mon chum et moi formons un couple assez extraordinaire, et ça veut dire que les enfants ne sont pas toujours avec nous. Qu'est-ce que tu veux ? On s'accorde du temps en couple pour avoir une vie équilibrée. Et franchement, je suis assez fière du résultat ! (p. 26-35-67-99-149-275)

Kim Thúy,
écrivaine, maman de Justin (13 ans) et de Valmont (11 ans)

Élever des enfants, c'est du gros bon sens. Mais le gros bon sens doit provenir de quelque part ! J'ai eu Justin à 30 ans et Valmont, à 32. Donc, j'avais assez de vécu pour avoir une idée des valeurs que je voulais leur transmettre. Je crois que celles-ci se lèguent non pas par les théories et ce qu'on dit, mais à travers les gestes et ce qu'on fait tous les jours. Parallèlement, mes parents sont très présents dans la transmission de ces valeurs. Les deux sont Vietnamiens. Ils sont arrivés ici dans la trentaine et la quarantaine. Ils vivent maintenant à côté de chez moi dans un semi-détaché. Quand Justin doit sortir les poubelles, le mardi, eh bien, il ne doit pas juste sortir nos poubelles, mais aussi celles de ses grands-parents. Ma mère s'occupe tellement des enfants que c'est dans l'ordre des choses. (p. 29-33-63-64-67-149-172-202-205-229-274-277)

Sébastien Benoit,
animateur et papa de Laurent (7 mois)

Je savais que j'étais un père sensible, mais pas à ce point-là... Je suis très aimant et très présent. Là, Laurent est dans sa phase « éveil ». Le placer dans un coin et ne rien faire avec lui, ce n'est pas notre genre, à ma blonde et à moi. On veut éveiller ses sens afin qu'il soit curieux. Même s'il est tout petit, on lui parle normalement, comme à un adulte. On fait la même chose quand vient le temps de le nourrir. Quand il mange ses purées, il est à table avec nous. On veut lui faire comprendre que l'heure des repas est importante, lui enseigner que c'est un moment privilégié où l'on se retrouve tous autour d'une table, et que maman et papa mangent leur plat tout comme lui mange le sien. Ces temps-ci, il est un peu jaloux parce qu'il trouve que notre nourriture a l'air pas mal plus sexy que la sienne ! (p. 99-206)

Annie Desrochers,
journaliste, maman d'Éloi (11 ans), d'Ulysse (9 ans), d'Albert (7 ans), de Blanche (4 ans) et de Philémon (5 mois)

Quand on me demande comment s'est bâtie cette famille, je réponds: un par un ! Longtemps, je n'ai pas voulu d'enfants. J'ai rencontré le père – parce que oui, ils sont tous du même père – qui avait envie d'en avoir rapidement. Moi non. Je voulais terminer mes études, voyager, asseoir un petit peu ma carrière. Et à 28 ans, tomber enceinte a été une révélation. Le monde de la maternité, la grossesse, l'accouchement, s'occuper d'un tout petit bébé... j'ai adoré. On en a voulu un deuxième puis un troisième, un quatrième et c'était fini... Puis on a eu une surprise, la cerise sur le sundae, le cinquième bébé ! Ça n'a pas été un plan de vie. Je suis gourmande et avoir des enfants me fait sentir vivante. Parfois, en regardant des photos de famille, je me dis: « Est-ce qu'ils sont tous à nous ? » (p. 28-33-35-63-201-203-255)

Pascale Wilhelmy,
animatrice, maman de Lola (25 ans) et de Romain (19 ans)

J'ai voulu stimuler la curiosité de mes enfants dès leur jeune âge en leur inculquant le goût de la lecture et des voyages. L'appétit intellectuel est une valeur fondamentale qui me vient de mes parents, tous deux professeurs. Le fait d'habiter dans un quartier multiethnique a facilité l'ouverture sur le monde de Lola et de Romain. Très tôt, mes enfants ont fait les courses avec moi dans les commerces indiens, chinois... Ils ont appris le respect des différentes cultures et ils ont été invités à goûter à de nouvelles saveurs, sans jamais toutefois y être forcés. Aujourd'hui, j'en paie un peu le prix, car ils sont toujours en voyage ! (p. 27-29-146-175-228-229)

Olivia Lévy,
journaliste, maman d'Inès (2 ans) et de Romain (1 an)

Mes parents n'étaient pas très sévères. Avec eux, il y avait un certain laisser-aller, même s'ils sont Français. C'est un peu contradictoire pour les Nord-Américains! D'ailleurs, il y a une journaliste américaine qui vit à Paris depuis pas très longtemps et qui n'en revient pas à quel point les petits Parisiens sont beaucoup mieux élevés que les jeunes Américains, insupportables à ses yeux. À table, ils jettent la nourriture, ils sont des enfants tyrans... De l'autre côté de l'Atlantique, elle constate que les Parisiens sont élevés au quart de tour, qu'ils disent «bonjour, merci, au revoir», qu'ils sont même un peu trop coincés – «oui maman, oui papa, oui je vais manger, oui je vais me coucher tout de suite»! Mais est-ce qu'on veut cette espèce de rectitude? Non. Nous, on veut un juste milieu, plus de créativité et de laisser-aller. (p. 207-276)

Rafaële Germain,
auteure, maman d'Élisabeth (18 mois) et belle-maman
de Marguerite (13 ans) et de Gilbert (10 ans)

Je souhaite élever ma fille de la façon la plus naturelle qui soit. Je cherche à ce qu'il y ait déjà une forme de communication entre elle et moi, de l'interaction. Souvent, je rends hommage à mes parents, car j'ai aimé la façon dont j'ai été élevée. J'avais l'impression d'avoir tout l'espace pour m'exprimer. En même temps, je n'ai jamais senti que j'étais laissée à moi-même. C'est l'idéal. Je n'ai jamais été une ado difficile, je n'ai jamais fait les 400 coups... En fait, je crois les avoir faits à 30 ans! Ado, je ne sentais pas que je devais contrarier mes parents, car je pouvais m'exprimer de façon intelligente sans avoir à contredire quelqu'un. La notion de liberté a donc germé très tôt en moi. (p. 99-203-205-274)

Claudette Taillefer,
maman de Pierre-André (51 ans), de Marie-Josée (50 ans)
et de Carl (47 ans) et grand-maman!

Je dois tout à l'Institut familial. Connaissez-vous ça? Après la 9e année, on allait à cette école dite supérieure et qui était axée sur l'alimentation, la cuisine et la psychologie des enfants. À ma sortie de l'Institut, à 19 ans, j'ai été engagée par le gouvernement provincial pour donner des cours d'art culinaire aux adultes, car on était formées pour être professeures. Moi, je faisais des recettes alors que d'autres étaient diététistes. Quand je suis sortie de l'école, je voulais être parfaite! À l'image de ce qu'on m'avait enseigné. Mais ce n'est pas toujours possible. J'ai fait ce que j'ai pu. Ma mère nous a toujours envoyés dans des écoles privées, même si elle n'en avait pas vraiment les moyens. (p. 32-97-175-229)

Photo: Olivia Lévy: Annie Gauthier / La Presse, Rafaële Germain: Sarah Scott

Claudia Larochelle,
écrivaine et animatrice, maman d'Ophélie (2 mois)

J'ai parfois des problèmes d'estime de soi. Je suis très dure envers moi-même, parce que je suis perfectionniste. J'ai un côté mélodramatique également. J'aspire donc à ce que ma fille ait une espèce de lâcher-prise. Tout dramatiser pourrait l'influencer de manière négative, car les enfants répètent ce qu'ils voient. C'est une pression dont elle n'a pas besoin. J'ai des parents qui mènent une vie saine. Ils font attention à leur corps. J'ai été élevée par des épicuriens qui boivent du bon vin, qui voyagent et qui profitent de la vie. Ils sont des retraités en santé qui se promènent dans tout le Québec et qui passent la moitié de l'année au Mexique. Leur horaire est chargé. Ils se font plaisir. J'aimerais transmettre cette image, cette photo de mes parents à mon enfant. (p. 204-225-275)

Rima Elkouri,
chroniqueuse, maman de deux enfants (9 ans et 7 ans)

Petite, je trouvais évidemment mes parents trop stricts. Je crois l'être moins qu'ils l'étaient, bien que je me trouve exigeante, attentive et inquiète. Je ne suis pas une mère parfaite, mais j'essaie toujours de faire de mon mieux. Je jongle avec la culpabilité, parce que, comme toutes les mamans qui travaillent, il faut faire des choix. Et on a toujours l'impression de ne pas en faire assez. Les enfants grandissent et parfois, on se dit: « Je devrais passer plus de temps avec eux. » Cela dit, on fait les choses différemment à partir du moment où on devient parent. On est peut-être plus efficace dans la façon de gérer son temps. Quand je vois que mes enfants vont bien, qu'ils ont l'air épanoui, qu'ils sont heureux, qu'ils réussissent bien, j'en tire de la fierté. (p. 34-63-151-206-227-276)

Sophie Banford,
éditrice de magazine, maman de Philippe (8 ans)
et de Patrick (1 an)

Je suis une maman. Je ne suis pas une amie. Mon nom, c'est « maman », pas « Sophie ». Je pense que je suis très aimante. Ça a l'air d'un cliché, mais j'adore mes enfants, je les cajole, je leur donne des bisous. Philippe et Patrick viennent nous trouver, mon chum et moi, dans le lit tous les matins. Mais je suis aussi une maman qui guide, qui encadre. Cette phrase de mes parents m'est restée: « On ne fait pas aux autres ce qu'on ne veut pas se faire faire. » Je la répète à Philippe. Ce n'est pas toujours facile à appliquer. Mais il y a beaucoup de choses dans cette phrase par rapport à la société dans laquelle on vit. Par rapport à l'individualisme aussi. (p. 34-64-99-202-227-229)

Photo: Claudia Larochelle: Julie Perreault, Rima Elkouri: Alain Roberge / La Presse

Gilles Barbot,
athlète et chef d'entreprise, papa de Louis (12 ans), de Vianney (9 ans), de Nina (2 ans) et de bébé Malo

J'ai grandi dans une famille de sept enfants. Traditionnelle et religieuse. Mon numéro de série, c'était le 4! J'ai adoré le fait de sortir en communauté, j'ai adoré la proximité, être entassés les uns à côté des autres dans la voiture, en allant en vacances ou en revenant de l'école. L'important, c'est le temps passé en famille. Ce que je fais beaucoup plus qu'avant, quand je m'investissais dans le développement de mon entreprise. Dès l'année prochaine, je vais avoir un véhicule récréatif pour que ma famille me suive dans mes défis. Autrement, comme je pars tout le temps, je ne passerais jamais de temps avec mes enfants. Ils vont un peu respirer le même air que moi. (p. 99-121-122-123-226-279-293)

Chantal Lamarre,
animatrice et chroniqueuse, maman d'Agathe (10 ans) et de Timothée (8 ans)

Mes enfants ne sont pas allés à la garderie. Ce sont des extraterrestres! Mais j'ai dû faire des compromis d'ordre professionnel. Comme mon chum et moi étions deux pigistes, il y a des bouts où j'ai donné de bonnes bourrées. Nous avons fonctionné comme ça une année à la fois en nous demandant chaque année: «Bon, est-ce qu'on est encore capables de continuer de cette façon?» Aujourd'hui, mes enfants vont dans une école alternative. Je peux me retrouver plusieurs semaines dans la classe de mon gars pour monter une pièce de théâtre, faire des décors, des costumes... J'ai une chance inouïe de pouvoir faire ça. Je n'ai rien manqué de leur éducation... Au parc, quand ils étaient petits, je me trouvais très chanceuse d'être en leur compagnie en voyant arriver les meutes d'enfants des garderies qui se tiennent tous par une corde. (p. 29-30-35-64-150-200-207-228)

François Hamelin,
juge, papa de Pierre-Marc (35 ans), de Marie-Noëlle (33 ans) et de Justine (30 ans)

Je tiens de Pierre Foglia, qui avait écrit quelque part sur la fatalité de l'existence, cette expression: «C'est la vie, mon vieux...» Il faut accepter ce qu'on ne peut pas contrôler. J'ai ça naturellement en moi. On n'a jamais eu vraiment de routine à la maison. Mais à vrai dire, oui... Ce n'était pas une routine voulue. Ma femme, Monique, et moi, on a été privilégiés, parce qu'elle travaille pour moi de la maison. Je travaille aussi souvent de la maison. Mes enfants ont toujours su qu'en y rentrant, après l'école, il y aurait quelqu'un. Donc, on prenait les repas tous ensemble, mais il n'y avait pas de rituel. C'était de facto, ça adonnait. (p. 34-96-123-175-204-205-278)

Rita Lafontaine,
comédienne, maman et grand-maman!

Ma mère était veuve. Elle a travaillé dur dans sa vie. Sans forcément le vouloir, elle m'a transmis la notion de l'indépendance financière. Ce fut très important pour moi, parce qu'à mon époque, les femmes étaient encore soumises à leur mari. Ma mère a aussi toujours insisté pour qu'on déjeune substantiellement avant de quitter la maison. J'ai fait la même chose avec ma fille. C'était d'autant plus important avec les horaires variables qui viennent avec mon travail. (p. 30-65-123-255)

Florence K,
auteure-compositrice-interprète, maman d'Alice (7 ans)

J'ai reçu une éducation pleine d'amour… mais c'était vraiment n'importe quoi, parce que ma mère était tout le temps en tournée et qu'elle bâtissait sa carrière. Elle se déguisait en otarie et elle allait chanter de l'opéra! Mes parents étaient bohèmes. Il y avait constamment des gens à la maison pour le souper. J'allais me coucher quand j'en avais envie. Je n'ai jamais manqué d'amour ou de quoi que ce soit d'autre, mais je n'ai pas eu une éducation rigoureuse et disciplinée. C'était zéro structure. J'ai dû me la donner plus tard, cette éducation. J'ai senti que j'avais besoin d'un cadre. Et je veux en donner un à ma fille. (p. 62-123-205)

Patrick Marsolais,
animateur, papa de Noah (12 ans), de Clara (8 ans)
et de Philippe (5 ans)

Au début, quand je suis devenu papa, j'avais des complexes. Est-ce que j'élevais bien mes enfants? Et j'ai fini par m'apercevoir que tout le monde fait de son mieux. On ne peut pas se sentir coupable chaque fois qu'on fait quelque chose qui n'est pas dans le *Guide parental canadien*! Je vise maintenant l'équilibre en tout, même l'aspect festif. La société pousse beaucoup les enfants aujourd'hui. On les inscrit à tous les cours possibles. On a de la difficulté à les laisser libres. On veut tout pour eux. Moi, le premier! (p. 31-65-67-122-201)

Pierre-Yves Lord,
animateur et papa d'Édouard (4 ans) et d'Olivia (1 an)

Le respect de l'autre, du noyau familial et des amis, c'est la base pour bien évoluer en société. On y arrive à travers des gestes tout simples. Édouard apprend à partager l'attention de ses parents avec sa petite sœur, qui est nouvellement arrivée dans la famille. J'essaie de lui apprendre qu'il est un grand frère, qu'il est là pour divertir Olivia, la faire rire. D'ailleurs, il est un grand frère protecteur. Je lui montre à respecter le fait qu'Olivia est une toute petite fille qui apprend à marcher. Il ne doit pas la brusquer. Il doit en prendre soin, l'envelopper d'amour et la protéger. (p. 34-67-200-207-229)

AU MENU

Index des recettes

POUR LA COLLATION

Index des recettes

DU FAST-FOOD SANTÉ

DU POISSON

Index des recettes

EN ACCOMPAGNEMENTS

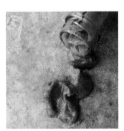

À BOIRE

POUR LE DESSERT

POUR BÉBÉ

LE CASSE-TÊTE DES SOIRS DE SEMAINE

Vos soirs de semaine ne sont pas de tout repos? Il suffit d'une heure de pointe plus difficile, d'une journée plus épuisante ou d'un arrêt plus long que d'habitude au service de garde et ça y est, le temps prévu pour préparer le repas vient de vous filer entre les doigts. Et votre calme aussi? L'idéal, c'est d'avoir plus d'un truc dans sa manche et de les utiliser pour éviter d'appuyer sur le bouton «panique»!

Le point de vue d'Alexandra

Je suis longtemps rentrée tous les soirs à 19 h après le bulletin de nouvelles télé pour lequel je travaillais. Même à cette époque très occupée, les repas de semaine ne m'ont jamais semblé être une corvée. Au contraire, le vrai plaisir commençait une fois la journée de travail terminée. Je rentrais retrouver mes amours qui m'accueillaient soir après soir en me sautant au cou !

Le souper n'est tout simplement pas un casse-tête à mes yeux. C'est un bonheur. Le fait d'avoir une famille que j'aime follement m'amène à considérer comme un très grand privilège ce qui pourrait être perçu comme une tâche ou même un sacrifice. De toute façon, si je n'avais pas de famille, j'inviterais des amis tous les soirs.

Aujourd'hui, j'ai des horaires plus flexibles. On a cependant des amis qui travaillent tard et qui sont devenus nos abonnés du lundi. Comme ma copine Maryse, qui arrive avec sa belle grande Victoria devant une table toute prête après une longue journée de travail.

Dans mes tourbillons de travail, mes amies Anny ou Catherine me tendent la main pour aller chercher le plus vieux dans la même classe que leurs aînés. Ça finit toujours pas mal en fiesta, toutes les familles réunies.

Pour pouvoir profiter véritablement de la petite enfance et de l'enfance de mes enfants, j'ai délaissé l'idée de mes tables bien nappées et parfaitement dressées, de la maison rangée par couleurs et par ordre alphabétique, comme avant les enfants. Ce désordre est pour moi synonyme de pur bonheur. Ce sont les traces laissées par les personnes que j'aime le plus au monde. Ce que je veux, c'est que mes enfants se souviennent du climat familial heureux et amusant de leur enfance.

Le point de vue de Geneviève

Je cours toujours. Lorsque ma vie ne va pas à la vitesse grand V, je m'ennuie. Je carbure à l'adrénaline, j'ai besoin de défis, de dates de tombée et de pression pour être à mon meilleur. C'est plus fort que moi. Je veux vivre pleinement ma vie familiale, m'épanouir au travail et voyager aussi souvent que possible. Mais je ne suis pas une superwoman et je n'aspire pas à le devenir ! Alors, pour survivre à cette vie très remplie sans perdre l'équilibre, il me faut des raccourcis.

J'ai donc commencé à inventer des recettes rapides par nécessité. Pas question de négliger l'alimentation de ma famille. Cuisiner la fin de semaine, remplir le congélateur, programmer la mijoteuse et assembler des festins en un tournemain sont devenus ma seconde nature.

J'aime cuisiner sous pression, quand le temps est compté. C'est pour moi une grande fierté lorsque j'arrive à créer une recette délicieuse qui ne contient que 4 ou 5 ingrédients ou qui se fait en 15 minutes.

J'ai du fun à cuisiner les soirs de semaine et je m'insurge contre les publicités de plats surgelés, de pizzas et de restos de malbouffe qui nous martèlent que cuisiner est une corvée et qu'on peut très bien se passer de cette tâche longue, fastidieuse et ennuyante grâce à leurs merveilleux repas. Foutaise !

J'aime cuisiner. Même lorsque mon frigo est presque vide. Même lorsque mes batteries sont à plat. Même lorsque je n'ai que 15 minutes. Même lorsque j'ai traversé la pire journée de ma vie. Parole d'une fille pressée qui adore bien manger.

Planifier,
ça fait toute
la différence.
À 17 heures, si on ne
sait pas ce qu'on va
manger, la tentation
sera forte d'ouvrir
une énième boîte
de pizza surgelée !

IL EST 17 HEURES ET RIEN N'EST PRÉVU POUR LE SOUPER ?[1]

• Dans **38%** des cas, les parents improvisent avec ce qu'ils ont sous la main.
• Dans **24%** des cas, c'est le resto du coin, la livraison express ou un plat surgelé.
• Dans **21%** des cas, on passe à l'épicerie rapidement pour dénicher des aliments qui serviront pour le souper.
Et vous, que faites-vous ?

Josée Boudreault,
animatrice, maman de Chloé (12 ans), d'Annabelle (5 ans) et de Flavie (3 ans)

« Quand les enfants sont jeunes, tu n'as pas le temps de cuisiner tant de recettes que ça. Tu as dans ton répertoire une douzaine de recettes que tu alternes et auxquelles tu intègres graduellement autre chose. Tu fais des *mix and match*, comme dans la garde-robe ! »

✦ **LE TRUC DU PRO** ✦

Hà Nguyen, chef chez Souvenirs d'Indochine

UNE PIERRE, DEUX COUPS

« Le riz vapeur, c'est très bon, mais pour un enfant, ça peut sembler plate, comme on dit. D'abord, lavez bien le riz. On ne sait jamais d'où il provient ! Ensuite, faites-le cuire avec un bouillon de poulet ou de légumes. Le temps de cuisson ne change pas. À mi-cuisson, ajoutez des légumes. Le reste du temps de cuisson va suffire à les cuire. Du chou nappa, du bok choy, du brocoli, des courgettes (zucchini), des carottes, ajoutez ce que vous avez sous la main. Évitez les tomates. »

«Quand j'ai intensément faim, j'admets que j'ai moins envie de prendre le temps de cuisiner un plat maison et équilibré. L'urgence de nous mettre à table me pousse vers les mets rapides et moins santé. La solution est de manger une collation sur le chemin du retour du travail ou en arrivant à la maison. Quelques crudités, un morceau de fromage, même un bol de soupe ne ruine pas mon repas. Ça calme ma faim et me soutient juste assez pour me raisonner!»

— **Alexandra**

«Chaque semaine, avant d'aller à l'épicerie, j'essaie de choisir 3 ou 4 plats que je vais avoir envie de cuisiner (et de manger) pendant la semaine. Je ne fais pas de menu précis, mais au moins, je sais que j'aurai acheté les bons ingrédients. Ça me permet d'éviter les arrêts de dernière minute à l'épicerie au retour du travail, à un moment où les files d'attente sont longues et mon niveau de patience au plus bas!»

— **Geneviève**

Pascale Wilhelmy,
animatrice, maman de Lola (25 ans) et de Romain (19 ans)

«Mettre un pichet d'eau sur la table incite les enfants à en boire. J'ai un faible pour l'eau dans laquelle baignent de fines tranches de concombre et de la menthe fraîche. C'est délicieux et c'est beau. Je prépare aussi différentes sortes de glaçons. Avec des fraises ou des framboises, par exemple.»

21% des familles accusent le manque de temps comme principal obstacle à la préparation des repas[2].

Jonathan Painchaud,
auteur-compositeur-interprète, papa de Téa (4 ans)

«J'ai un cousin du même âge que moi, séparé comme moi, avec des enfants de l'âge de ma fille et qui habite tout près. De plus en plus, on installe une routine de voisinage. On fait des *potlucks*. C'est communautaire et ça permet aux filles de se voir. On se téléphone, comme un vieux couple: «Es-tu proche de l'épicerie? De la boucherie? Rapporte-moi ceci, achète-moi ça.»

✦ LE TRUC DE LA PRO ✦

Elena Faita, propriétaire de la Quincaillerie Dante

PÂTES PARFAITES !

« Pourquoi les pâtes collent-elles ? C'est que la majorité des gens ont de petits chaudrons de 5 litres alors que ça prend beaucoup d'eau pour faire cuire les pâtes. Ça prend aussi du sel, mais pas d'huile ! Pour savoir si nos pâtes sont cuites à point ou *al dente*, soit encore un peu fermes, il faut goûter. Il n'y a pas d'autre indicateur. »

Annie Desrochers,
journaliste, maman d'Éloi (11 ans), d'Ulysse (9 ans), d'Albert (7 ans), de Blanche (4 ans) et de Philémon (5 mois)

« Je ne cuisine pas un repas selon les goûts de chacun de mes enfants. Il y a un plat et si l'un d'eux n'aime pas ça, tant pis ! Mais je fais participer mes enfants dans le choix des menus. Chacun a son tour. Plus j'ai d'enfants, moins je fais de petits plats. Je préfère apprêter le saumon au complet plutôt que plusieurs darnes. »

Sylviane Robini

« J'ai rarement l'impression de ne pas avoir de temps pour préparer le souper. Surtout grâce au fait que mes enfants mettent la main à la pâte depuis toujours. Simone est la reine des salades. Elle déchiquette la laitue et l'assaisonne avec de l'huile, du citron et une pincée de fleur de sel. Henri manie bien les couteaux. C'est lui qui ajoute les légumes : concombres, fenouil, tomates. Les soirées pizza, panini ou pita sont aussi sympas. Tous les ingrédients sont sur la table et chacun garnit son truc. »

— **Alexandra**

KIM THÚY, ÉCRIVAINE, MAMAN DE JUSTIN (13 ANS) ET DE VALMONT (11 ANS)

« **J'écris tous les plats** que ma famille aime sur une liste et, quand on est à court d'idées, on consulte la liste. Sinon, on oublie. Il y a plus d'une cinquantaine d'idées de recettes sur cette liste. »

Pascale Wilhelmy,
animatrice, maman de Lola (25 ans) et de Romain (19 ans)

« C'est samedi soir tous les soirs chez nous ! Je veux que ce soit bon, parce que je cuisine pour des gens que j'aime. Cuisiner est d'abord un geste d'amour. »

Chantal Lamarre,
animatrice et chroniqueuse, maman d'Agathe (10 ans) et de Timothée (8 ans)

« Je suis une adepte de la cuisson lente. Que c'est fantastique, une mijoteuse ! Elle travaille pendant notre absence. On la part le matin et on s'en va travailler en sachant qu'un repas nous attendra au retour. C'est le meilleur du meilleur pour moi ! »

✦ LE TRUC DU PRO ✦

Paolo Oliveira, propriétaire de la Brasserie Central

DES PÂTES AU FRIGO, UN BON DÉPANNEUR

Robert Mailloux / La Presse

« On peut faire cuire des pâtes en grande quantité, puis les conserver avec toute leur fraîcheur jusqu'à cinq jours au frigo. Il s'agit de les égoutter une minute avant le temps de cuisson indiqué sur la boîte. Ensuite, on les enrobe d'une huile d'olive de qualité, ce qui les empêchera de coller et de durcir au frigo. Le moment venu, on fait caraméliser de l'oignon et de l'ail dans de l'huile d'olive et on ajoute les pâtes qu'on fait réchauffer pendant une minute et demie à feu moyen. On ajoute une viande, un peu de fromage ou des légumes. »

« Lorsque je sais que j'ai vraiment une semaine de fou qui s'en vient, je n'ai aucune honte à acheter des légumes déjà coupés, du fromage déjà râpé, des viandes déjà parées… Ça peut faire la différence entre un plat cuisiné maison et la livraison ! »
— **Geneviève**

Rita Lafontaine,
comédienne, maman et grand-maman !

« Si on ne performe pas comme cuisinière, on peut toujours être une bonne assistante. Dresser la table, veiller à ce que rien ne se perde dans le frigo… Il y a toujours un rôle à jouer dans la cuisine. Chez nous, c'est mon mari qui cuisine, moi, j'assiste. »

❖ **LE TRUC DE LA PRO** ❖

Hemela Pourafzal, chef chez Byblos
TROP SALÉ, LE FETA ?

André Tremblay / La Presse

« Les gens viennent de loin pour manger mon omelette au feta. Voici mon truc pour qu'elle ne soit pas trop salée : il faut dessaler le feta. On change l'eau, on remet le fromage au frigo pendant 24 heures et on répète l'opération jusqu'à ce qu'on obtienne le goût désiré. Il m'arrive de faire des changements d'eau pendant une semaine. Faites participer les enfants. En goûtant le milieu du morceau de fromage, ils sauront s'ils ont réussi. »

Chantal Lamarre,
animatrice et chroniqueuse, maman d'Agathe (10 ans) et de Timothée (8 ans)

« Un soir par semaine, je déclare : "Mangez ce que vous voulez ! Votre père pis moi, on va se faire un tartare !" »

« Asseyez-vous à la table avec vos enfants, ça va les motiver. Les enfants qui mangent seuls vont penser à s'amuser plutôt qu'à manger. »
HÀ NGUYEN, CHEF

« À l'épicerie, il faut faire de bons choix, parce que ce qui entre dans la maison, tôt ou tard, on va le manger. »

GILLES BARBOT, ATHLÈTE ET CHEF D'ENTREPRISE, PAPA DE LOUIS (12 ANS), DE VIANNEY (9 ANS), DE NINA (2 ANS) ET DE BÉBÉ MALO

Patrick Marsolais,
animateur, papa de Noah (12 ans), de Clara (8 ans) et de Philippe (5 ans)

« Je planifie tous les repas et tous les lunchs. J'adore prendre mes dimanches pour aller au marché, puis faire des sauces à spaghetti ou une épaule de porc braisée aux pommes. C'est un moment de bonheur. Quand les enfants arrivent de chez leur mère le dimanche, tous les menus de la semaine sont prêts. »

PARENT FUTÉ

« J'aime que les choses soient organisées et planifiées. J'ai pas moins de 18 contenants en silicone à la maison. Je m'en sers pour tout congeler. J'utilise mes contenants à muffins pour mettre des morceaux de viande, du spaghetti, de la sauce. Une fois congelés, je les démoule, je les mets dans un sac hermétique et j'y inscris la date. »

HÉLÈNE GIRARD, MAMAN DE CASSANDRE (7 ANS) ET D'ODANIE (2 ANS)

« Chez nous, on laisse les tracas de parents sur le perron. Même si la journée a été difficile, c'est instantané : l'idée de retrouver mes amours me fait ne penser qu'à eux. Même si la journée a été très, très difficile, il m'est impossible de rentrer chez moi sans sourire. Quand je suis essoufflée, que j'ai couru, que j'ai été retenue par la circulation, je prends une bonne respiration et j'ouvre ensuite la porte. »

— Alexandra

« Quand mes petits ont moins faim, je les envoie jouer dehors en attendant que le souper soit prêt. S'ils n'ont toujours pas faim une fois le repas prêt… on les laisse jouer et on en profite pour se servir un verre de vin ! Je sais trop bien que si je les assois avant qu'ils aient faim, ils vont gigoter et ne resteront pas en place. »
— **Alexandra**

Claudette Taillefer,
maman de Pierre-André (51 ans), de Marie-Josée (50 ans) et de Carl (47 ans) et grand-maman !

« Il faut manger en famille. S'attabler tous ensemble permet aux enfants d'apprendre les bonnes manières. L'éducation à table, c'est important. On apprend aux enfants à bien manger, à tenir leurs ustensiles, à ne pas parler la bouche pleine, à ne pas saper leur soupe. »

✤ L'AVIS DE LA PRO ✤

Sylvie Boisvert,
coach en gestion du stress, Coaching et Formation inc.

LE DOIGT SUR LE BOBO

« Il faut savoir identifier les déclencheurs de stress qui nous empêchent d'avoir du bon temps. Est-ce que j'ai des attentes irréalistes envers mes enfants ? Qu'est-ce qui me met hors de moi ? Si on réfléchit à ces questions, il est plus facile de se contrôler. Si c'est mon insatisfaction au travail qui vient contaminer mon 5 à 7 en famille, le danger est de ne pas en prendre conscience et de ne pas saisir pourquoi je suis à fleur de peau. Si on ne le comprend pas, comment les autres pourront-ils comprendre ? Si on s'attend à ce que ce soit tout le temps l'harmonie à la maison, on sera toujours déçu et on s'impatientera au moindre écart. Si mes attentes ne sont pas réalistes, qu'est-ce que je peux faire pour m'ajuster ? Au fond, qu'est-ce que ça vous prend pour que ça se passe bien au retour du boulot ? Ayez l'objectif d'être bien, sans viser l'idéal. »

RESPIREZ, ÇA CALME LE POMPON !

« Un truc pour réduire notre stress et pour lâcher prise est de… respirer ! Cinq minutes, lentement, en concentrant nos pensées sur la respiration et en gonflant l'abdomen au maximum. On ferme ainsi le robinet du cortisol, l'hormone du stress, et on ouvre celui de la vitalité. On est ensuite plus patient et capable de raisonner plus facilement. Ça devient un rituel. Plus on pratique ces respirations abdominales, plus c'est efficace. On peut même intégrer cette technique à notre routine pour ne pas attendre que le presto explose avant de l'utiliser. »

LES REPAS EN FAMILLE...

« Chez nous, le repas du soir est comme un rituel. C'est sacré! C'est un moment privilégié en famille, une pause que l'on s'accorde chaque jour. C'est le moment que je préfère dans ma journée! Ça demande parfois des acrobaties, mais j'y tiens. »

— Geneviève

« J'ai le sentiment que l'ambiance qui se dégage des repas passés en famille reste gravée dans la mémoire de chacun. Je me souviens parfaitement des miens, petite. On faisait de "l'après-table" systématiquement tous les jours, en étirant même le petit-déjeuner la semaine. Ça explique mes arrivées sur les chapeaux de roues à l'école. Ces moments en famille me rendaient tellement heureuse! J'ai copié-collé ce modèle pour mes enfants. »

— Alexandra

« C'est important d'avoir des conversations d'adultes devant les enfants. Je dis à mon fils : "Même si tu ne comprends que 5 % de la conversation, tu apprends quand même. Pas le contenu, mais la façon avec laquelle les gens interagissent autour de la table. Comment ils se parlent, comment ils bougent." Alors, c'est important que les enfants soient à table avec nous. »

KIM THÚY, ÉCRIVAINE, MAMAN DE JUSTIN (13 ANS) ET DE VALMONT (11 ANS)

Docteure Christiane Laberge,
spécialiste en médecine familiale et chroniqueuse santé

« Le repas est un moment social et on ne devrait pas parler de nourriture à table. Seuls les commentaires "J'aime" ou "Je n'aime pas" devraient être permis. On évite aussi les guerres de pouvoir. On n'exerce pas de pression sur l'enfant; il risque de s'en servir en retour pour mettre notre patience à l'épreuve! "T'as mangé? C'est correct! T'as pas mangé? C'est correct! Moi, ma *job* de parent, c'est de te présenter de bons aliments. Toi, ta *job*, c'est de choisir." »

« Être à table avec de jeunes enfants, pour bien des parents et des enfants, c'est un moment stressant. Les parents passent leur temps à faire la discipline et les enfants en ont ras le pompon de se faire dire "fais ci, fais ça, tiens-toi comme ci, tiens-toi comme ça". Un truc qu'on aime bien chez nous, c'est de baisser le ton. Le climat devient automatiquement plus apaisant. »

ANNIE DESROCHERS, JOURNALISTE, MAMAN D'ÉLOI (11 ANS), D'ULYSSE (9 ANS), D'ALBERT (7 ANS), DE BLANCHE (4 ANS) ET DE PHILÉMON (5 MOIS)

Sophie Banford,
éditrice de magazine, maman de
Philippe (8 ans) et de Patrick (1 an)

« Chaque soir, au souper, je demande à mon fils de 8 ans d'énumérer ses trois meilleurs moments de la journée en plus d'un qu'il a moins aimé. Ça permet de voir ce qui a fait tripper ton enfant dans la journée et ce qui ne va pas. Autrement, si on ne fait que demander comment la journée à l'école s'est déroulée, l'enfant va simplement répondre: "Bien!" »

« Peu importe la durée, l'idée c'est de se réunir. Si c'est 20 minutes, c'est 20 minutes. C'est notre moment. »

Pierre-Yves Lord,
animateur et papa d'Édouard
(4 ans) et d'Olivia (1 an)

« On a une belle cuisine avec un îlot. C'est très convivial. Mais il n'y a pas vraiment d'endroit où mon fils est confiné et coincé lors des repas. Il gigote constamment, demande à sortir de table alors qu'il n'a pas terminé son repas... Petit, j'avais mon coin duquel je ne pouvais pas m'évader. J'étais squeezé entre papa et maman, et c'était ma place. C'est presque ce que je souhaiterais à Édouard! Car son rapport avec la nourriture a toujours été compliqué. Il n'a jamais eu un grand appétit. »

Rima Elkouri,
chroniqueuse, mère de
deux enfants (7 ans et 9 ans)

« Parfois, peu importe les techniques utilisées, il faut simplement que le temps passe. Il y a des choses qu'on réussit, mais on ne sait pas trop pourquoi. Est-ce parce que l'enfant a vieilli, parce qu'il est plus mature ou parce que j'ai vraiment contribué à cet acquis? »

François Hamelin,
juge, papa de Pierre-Marc
(35 ans) Marie-Noëlle (33 ans),
et de Justine (30 ans)

« J'ai banni la notion d'autorité. Pour moi, l'autorité, c'est de bien faire les choses. J'ai été extrêmement chanceux, car mes trois enfants ont bien répondu. Ils n'ont rien fait de majeur comme mauvais coups. »

« Il faut trouver une activité ludique dans laquelle on s'engage avec nos enfants, chacun son tour. Par exemple, le baseball avec mon fils. Je lui disais: "Si tu veux être un bon lanceur, il n'y a pas 50 secrets, c'est la concentration et la répétition." Qu'on soit un artiste, un sportif, un philosophe, c'est d'abord une question de travail. Par la détermination, tu finis par créer une seconde nature, et c'est cette seconde nature qui va te conduire à la compétence. C'est une bonne méthode à pratiquer pour les études plus tard. »

Chantal Lamarre,
animatrice et chroniqueuse, maman d'Agathe (10 ans) et de Timothée (8 ans)

« À l'heure des repas, on ne mange jamais devant la télé. Il faut faire du repas un moment intéressant. »

Annie Desrochers,
journaliste, maman d'Éloi (11 ans), d'Ulysse (9 ans), d'Albert (7 ans), de Blanche (4 ans) et de Philémon (5 mois)

« Chez nous, c'est une microsociété. On fait des conseils de famille, avec un ordre du jour, des points à discuter, puis on s'entend sur des règlements. Il y a des choses qui sont non négociables. Parce qu'un parent, comme un dictateur éclairé, ce n'est pas quelqu'un qu'on choisit et qu'on peut remplacer aux prochaines élections. Ce sont les parents qui mènent. Chez nous, il y a trois règles affichées : je respecte mes parents, je fais ce que j'ai à faire sans chigner et je suis gentil avec les autres. »

Josée Boudreault,
animatrice, maman de Chloé (12 ans), d'Annabelle (5 ans) et de Flavie (3 ans)

« Ce serait super que les filles demandent d'être libérées de table. C'est très poli. Mais chez nous, ça ne fonctionne pas comme ça. La grande de 12 ans a toujours hâte qu'on finisse de manger parce que sa job, c'est de desservir. Des fois, elle se lève pour aller à l'ordinateur et elle attend qu'on dise : "Ok ! Tu peux venir desservir !" On commence tous en même temps, mais ça arrive qu'on ne finisse pas notre assiette au même moment. Je dois avouer que c'est l'fun parfois… La cuisine est à aire ouverte. On veille sur les enfants en finissant tranquillement le repas, en jasant, en se demandant : "Pis, comment s'est passée ta journée ?" J'haïs pas ça ! »

UNE FAMILLE C'EST…

« J'ai déjà lu qu'avoir des enfants, c'est comme regarder la météo avant d'aller pique-niquer. Tu lis 60 % de chance d'averses. Tu y vas quand même, parce que tu risques d'avoir ben du fun. C'est ça, une famille. Il y a des tempêtes, mais aussi du soleil. Je suis partie en pique-nique avec trois enfants, deux pères, et ça va bien parce que je suis prête à toute éventualité. »

Sloppy Joe

6 PORTIONS • PRÉPARATION : 10 min • CUISSON : 25 min • PRIX : 3,25 $ / portion

INGRÉDIENTS VEDETTES

champignons blancs

oignon jaune

bœuf haché

pâte de tomate

pains à hamburger

5 ml (1 c. à thé) d'**huile végétale**

1 paquet de 250 g (8 oz) de **champignons blancs** tranchés

1 **oignon jaune** haché finement

450 g (1 lb) de **bœuf haché** extra-maigre

125 ml (1/2 tasse) d'**eau**

60 ml (1/4 tasse) de **jus de pomme** ou d'eau

60 ml (1/4 tasse) de **pâte de tomate**

15 ml (1 c. à soupe) de **farine** tout usage non blanchie

15 ml (1 c. à soupe) d'**assaisonnement au chili mexicain**

15 ml (1 c. à soupe) de **sauce anglaise** (de type Worcestershire)

15 ml (1 c. à soupe) de **vinaigre de cidre**

Poivre du moulin et **sel**

12 **pains à hamburger** miniatures

1. Verser l'huile dans un poêlon antiadhésif et la répartir sur toute la surface à l'aide d'un pinceau de cuisine. Ajouter les champignons et dorer à feu moyen-vif de 5 à 7 minutes. Éviter de mélanger : en remuant les champignons, ils ne se coloreront pas. Lorsqu'ils sont bien dorés, transvider dans le robot culinaire et hacher le plus finement possible.

2. Remettre les champignons hachés dans le poêlon et ajouter les oignons. Cuire à feu moyen-vif de 5 à 7 minutes ou jusqu'à ce que les oignons soient dorés.

3. Ajouter le bœuf haché, l'égrainer à l'aide d'une cuillère de bois et cuire à feu moyen-vif jusqu'à ce que la viande soit bien cuite, soit environ 5 minutes.

4. Dans un petit bol, mélanger l'eau, le jus de pomme et la pâte de tomate. Ajouter la farine et mélanger pour bien délayer. Verser dans le mélange de bœuf haché.

5. Ajouter les assaisonnements au chili, la sauce anglaise et le vinaigre de cidre. Poivrer généreusement et ajouter une pincée de sel. Remuer et laisser réduire 1 minute pour obtenir la consistance d'une sauce barbecue épaisse.

6. Préchauffer le gril du four (*broil*). Ouvrir les pains, les déposer sur une plaque de cuisson (l'intérieur vers le haut), et dorer de 2 à 3 minutes. Surveiller pour éviter que les pains ne brûlent.

7. Garnir chaque pain d'un peu de préparation à la viande. Servir avec des crudités ou une salade de chou. La préparation à la viande se conserve 4 jours au réfrigérateur ou 3 mois au congélateur. Garnir les pains au moment de servir.

VALEURS NUTRITIVES
(par portion)

345 Calories
Protéines : 24 g
Lipides : 14 g
Glucides : 40 g
Fibres : 3 g
Sodium : 436 mg

Astuce : L'ajout de champignons permet de réduire le coût de la recette tout en ayant une portion généreuse de Sloppy Joe; il y a des petits trucs comme ça qui nous aident à manger moins de viande, sans qu'on s'en rende compte !

Variante : Pour cette recette, achetez la viande hachée la plus économique. Que ce soit du bœuf, du porc, de la dinde ou du veau, ce sera assurément délicieux. Si vous utilisez une viande plus grasse, égouttez le gras avant de passer à l'étape 4.

Macaroni au fromage

4 PORTIONS • PRÉPARATION : 15 min • CUISSON : 20 min • PRIX : 1,40 $ / portion

INGRÉDIENTS VEDETTES

macaroni droit

lait

cheddar orange fort

parmesan

sauce à pizza

300 g (10 oz) de **macaroni droit** ou autre pâte courte, soit 875 ml (3 1/2 tasses) de pâtes sèches

30 ml (2 c. à soupe) de **beurre**

30 ml (2 c. à soupe) de **farine tout usage** non blanchie

375 ml (1 1/2 tasse) de **lait** divisé

60 ml (1/4 tasse) de **lait en poudre** (facultatif)

250 ml (1 tasse) de **cheddar orange fort** râpé (environ 100 g / 3,5 oz)

60 ml (1/4 tasse) de **parmesan** fraîchement râpé (30 g / 1 oz)

45 ml (3 c. à soupe) de **sauce à pizza** douce ou piquante

Poivre du moulin et **sel**

1. Cuire les pâtes selon le mode d'emploi sur l'emballage. Elles doivent être *al dente* (cuites, mais encore fermes). Égoutter et réserver.
2. Pendant ce temps, dans une casserole moyenne, faire fondre le beurre à feu moyen. Saupoudrer la farine sur le beurre et bien mélanger à l'aide d'un fouet. Cuire de 2 à 3 minutes, puis ajouter 125 ml (1/2 tasse) de lait. Fouetter vigoureusement pour bien intégrer la farine au lait.
3. Verser le reste du lait et porter à ébullition en remuant constamment. Réduire à feu doux dès le premier bouillon. Ajouter le lait en poudre, les fromages et la sauce à pizza, puis mélanger jusqu'à ce que le fromage soit complètement fondu. Poivrer généreusement et ajouter une pincée de sel.
4. Incorporer délicatement les pâtes cuites et égouttées. Servir immédiatement.
   Se conserve 3 jours au réfrigérateur et ne se congèle pas. Ajouter un peu de lait avant de réchauffer.

VALEURS NUTRITIVES
(par portion)

386 Calories
Protéines : 17 g
Lipides : 12 g
Glucides : 52 g
Fibres : 2 g
Sodium : 235 mg

Astuce : Grâce à l'ajout de lait en poudre, cette recette contient 350 mg de calcium par portion, soit plus de calcium que dans un verre de lait. Pour que le goût du fromage soit bien présent, utilisez du cheddar fort. Si vous prenez du cheddar doux, le goût ne sera pas assez intense.

Variante : Il existe mille et une façons de «jazzer» un macaroni au fromage. Alors que certains aiment y ajouter des légumes, d'autres préfèrent varier la sorte de fromage. C'est sans compter ceux qui aiment faire gratiner leur «mac & cheese». Adaptez la recette à votre goût et elle deviendra rapidement un classique sous votre toit.

Filet de porc à la mangue au barbecue

8 PORTIONS • PRÉPARATION : 10 min • CUISSON : 15 min • PRIX : 1,66 $ / portion

INGRÉDIENTS VEDETTES

oignon jaune

mangue surgelée

vinaigre de vin blanc

filets de porc

lime

1 petit **oignon jaune** coupé en quatre

250 ml (1 tasse) de **mangue** en dés surgelée et décongelée ou 1 mangue fraîche pelée et coupée en dés

1 gousse d'**ail**

30 ml (2 c. à soupe) de **vinaigre de vin blanc**

Poivre du moulin et **sel**

1 kg de **filets de porc**, soit 2 filets d'environ 500 g (1 lb) chacun

4 **limes** coupées en quatre

Coriandre fraîche hachée grossièrement (facultatif)

1. Déposer l'oignon, la mangue, l'ail et le vinaigre dans le bol du mélangeur électrique (*blender*). Poivrer généreusement et ajouter une pincée de sel. Pulser pour obtenir une purée lisse. Transvider dans un grand sac hermétique pour la congélation.
2. Couper chaque filet de porc en deux sur le sens de la longueur. Ajouter le porc dans la marinade, refermer le sac et laisser reposer 10 minutes.
3. Pendant ce temps, préchauffer le barbecue à intensité moyenne. Bien nettoyer les grilles.
4. Placer les filets de porc sur la grille du barbecue, fermer le couvercle et cuire de 6 à 8 minutes de chaque côté. Pendant la cuisson, badigeonner de marinade à deux reprises sur chaque côté.
5. Ajouter les quartiers de limes sur la grille du barbecue 2 minutes avant la fin de la cuisson.
6. Retirer le porc du barbecue, couper en tranches épaisses et placer dans un plat de service. Ajouter les limes grillées et parsemer de coriandre fraîche.
7. Servir avec une salade colorée et des épis de maïs bouillis (en saison).
   Se conserve 4 jours au réfrigérateur. Le porc se congèle 4 mois dans la marinade. Décongeler avant de cuire.

VALEURS NUTRITIVES
(par portion)

149 Calories
Protéines : 24 g
Lipides : 2 g
Glucides : 8 g
Fibres : 2 g
Sodium : 276 mg

Astuce : La recette peut se préparer dans un poêlon strié. Profitez-en pour faire cuire quelques morceaux de filet de plus afin d'avoir un surplus pour les lunchs (voir page 42).

Variante : Cette marinade à la mangue est délicieuse avec des poitrines de poulet ou des grosses crevettes tigrées. À essayer!

Salade de riz au porc et à la mangue

4 PORTIONS • PRÉPARATION : 10 min • CUISSON : 30 min • PRIX : 2,82 $ / portion

INGRÉDIENTS VEDETTES

riz basmati

filet de porc à la mangue

mangue en dés surgelée

poivron rouge

céleri

250 ml (1 tasse) de **riz basmati**

500 ml (2 tasses) d'**eau**

1 **filet de porc à la mangue** en dés (voir page 40)

250 ml (1 tasse) de **mangue** en dés surgelée et dégelée ou 1 mangue fraîche pelée et coupée en dés

1/2 **poivron rouge** en dés

1 branche de **céleri** hachée

2 **oignons verts** hachés (parties blanche et verte)

60 ml (1/4 tasse) de **coriandre fraîche** hachée finement

Le jus de 2 **limes**

15 ml (1 c. à soupe) d'**épices cajun** (facultatif)

Poivre du moulin et **sel**

1. Dans une casserole moyenne, mélanger le riz et l'eau. Porter à ébullition, réduire à feu moyen-doux et couvrir. Calculer 20 minutes et retirer du feu. Sans retirer le couvercle, laisser reposer 10 minutes. Enlever le couvercle et laisser tiédir.

2. Pendant ce temps, dans un grand bol, mélanger le reste des ingrédients. Poivrer généreusement et ajouter une pincée de sel.

3. Ajouter le riz, mélanger et servir. Se conserve 3 jours au réfrigérateur et ne se congèle pas.

VALEURS NUTRITIVES (par portion)

378 Calories
Protéines : 28 g
Lipides : 3g
Glucide : 60 g
Fibres : 4g
Sodium : 326 mg

Astuce : Préparez cette recette pendant que le porc à la mangue cuit sur le barbecue (voir page 40). Vous ferez d'une pierre deux coups !

Variante : Vous n'avez pas cuisiné le porc à la mangue ? Ne vous privez pas de cette recette pour autant ! Elle sera délicieuse avec des cubes de poulet grillé, des crevettes nordiques, de la chair de crabe en conserve ou un restant de saumon poché.

Poulet grec à la mijoteuse

20 PORTIONS • PRÉPARATION : 5 min
CUISSON : 3 h (à intensité élevée) ou 6 h (à faible intensité) • PRIX : 2,00 $ / portion

INGRÉDIENTS VEDETTES

hauts de cuisse
de poulet désossés
et sans la peau

bouillon de poulet

citron

ail

sel et poivre

VALEURS NUTRITIVES
(par portion)

297 Calories
Protéines : 38 g
Lipides : 13 g
Glucides : 1 g
Fibres : 0 g
Sodium : 121 mg

3 kg (6 lb) de **hauts de cuisse de poulet** désossés et sans la peau

125 ml (1/2 tasse) de **bouillon de poulet** maison ou du commerce, réduit en sodium

Le zeste de 1 **citron**

Le jus de 2 citrons

6 à 8 gousses d'**ail** pelées et écrasées avec le côté plat d'un couteau

Poivre du moulin et **sel**

1. Déposer le poulet cru directement dans la mijoteuse, sans le couper.
2. Ajouter le bouillon de poulet, le zeste, le jus de citron et l'ail. Poivrer généreusement et ajouter une pincée de sel.
3. Couvrir et cuire 3 heures à puissance élevée ou 6 heures à faible intensité.
4. Servir sur du riz et accompagner d'une salade grecque ou utiliser dans la recette de gyro (voir page 46). Le poulet se conserve 4 jours au réfrigérateur ou 4 mois au congélateur.

Astuces : Vous avez bien lu! Cette recette donne une vingtaine de portions. Profitez-en pour congeler le surplus de poulet cuit en portions familiales ou individuelles. Pour un repas vite fait, vous n'aurez qu'à décongeler la volaille et à l'ajouter à des pâtes, à des salades, à des sandwichs et à des pizzas, ou même à un riz à l'asiatique. On devrait toujours avoir du poulet cuit au congélateur, c'est si pratique! Si vous n'avez pas de mijoteuse, vous pouvez cuire le poulet dans une cocotte ou dans un plat de cuisson couvert. Doublez la quantité de bouillon et faites cuire 3 heures dans un four préchauffé à 180 °C (350 °F).

Variante : Chasseurs d'aubaines, n'hésitez pas à remplacer en tout ou en partie les hauts de cuisse par des poitrines de poulet, ou même par un poulet entier. Vous n'aurez qu'à retirer la peau et les os à la fin de la cuisson. Choisissez les pièces de volaille qui sont à bon prix et vous aurez de belles réserves de poulet cuit au congélateur.

Gyro au poulet

4 PORTIONS • PRÉPARATION : 10 min • CUISSON : aucune • PRIX : 4,00 $ / portion

INGRÉDIENTS VEDETTES

concombre

yogourt grec nature

gousses d'ail

poulet grec
à la mijoteuse

pains pitas

TZATZIKI (SAUCE AU CONCOMBRE ET AU YOGOURT)

1 **concombre** moyen pelé

1 pot de 500 g de **yogourt grec nature**, soit 500 ml (2 tasses)

1 ou 2 gousses d'**ail** hachées

Sel

GYRO

500 ml (2 tasses) de **poulet grec à la mijoteuse** (voir page 44) ou de poulet cuit

4 grands **pains pitas** souples (ou 8 petits)

Tomates italiennes tranchées

Concombres libanais tranchés finement en biseau

Laitue frisée hachée grossièrement

Oignon rouge en lamelles (facultatif)

1. **Pour le tzatziki :** à l'aide d'un économe (éplucheur à légumes), former des rubans en pelant le concombre dans le sens de la longueur. Arrêter avant d'atteindre le cœur. Hacher finement les rubans. Mélanger ensuite le yogourt, le concombre et l'ail directement dans le pot de yogourt. Saler au goût.
2. **Pour assembler le gyro :** déposer le poulet sur un pain pita. Ajouter la sauce tzatziki et garnir de tomates, de concombre, de laitue et d'oignon. Rouler et servir immédiatement.

VALEURS NUTRITIVES
(par portion)

336 Calories
Protéines : 24 g
Lipides : 7 g
Glucides : 44 g
Fibres : 6 g
Sodium : 442 g

Astuce : Si vous n'avez pas fait la recette de poulet grec à la mijoteuse (voir page 44), vous pouvez utiliser des poitrines de poulet qui auront été grillées dans un poêlon strié.

Variante : Vos enfants ne sont pas du type « sandwich » ? Ou bien ils sont jeunes et ils n'ont pas la bouche assez grande pour attaquer un gyro ? Vous pouvez présenter cette recette en pièces détachées. Dans une assiette, déposez du riz cuit et garnissez de morceaux de poulet. Pour les petits, accompagnez de tomates cerises, de tranches de concombre libanais et d'un peu de sauce tzatziki. Pour les grands, composez une salade grecque rapide en mélangeant des tomates cerises coupées en deux, des tranches de concombre libanais, des olives Kalamata, du feta émietté et un filet d'huile d'olive.

Poulet
« bon à s'en lécher les doigts »

4 PORTIONS POUR LE SOUPER ET 4 PORTIONS POUR LE LUNCH
PRÉPARATION : 10 min • CUISSON : 45 à 50 min • PRIX : 2,92$/portion

INGRÉDIENTS VEDETTES

marmelade à l'orange

sauce hoisin

vinaigre de riz

miel

pilons de poulet
sans la peau

VALEURS NUTRITIVES
(par portion)

339 Calories
Protéines : 30 g
Lipides : 7 g
Glucides : 29 g
Fibres : 1 g
Sodium : 325 mg

80 ml (1/3 tasse) de **marmelade à l'orange** ou de tartinade à l'orange sans sucre ajouté

80 ml (1/3 tasse) de **sauce hoisin** (voir astuce)

45 ml (3 c. à soupe) de **vinaigre de riz**

45 ml (3 c. à soupe) de **miel**

18 **pilons de poulet** sans la peau

1. Placer la grille au centre du four et préchauffer le four à 200 ºC (400 ºF).
2. Dans un grand sac de congélation hermétique, verser la marmelade, la sauce hoisin, le vinaigre et le miel. Refermer le sac et le manipuler avec les doigts pour bien mélanger les ingrédients.
3. Ajouter les pilons et manipuler de nouveau le sac pour bien enrober le poulet. Cette étape peut être réalisée 48 heures ou moins à l'avance. Conserver la volaille au réfrigérateur.
4. Déposer les pilons et la marinade dans un grand plat rectangulaire allant au four.
5. Cuire 45 minutes en retournant les pilons dans la sauce à la mi-cuisson.
6. Servir avec du riz et des rubans de légumes (voir page 82).
Utiliser le surplus de poulet pour préparer le lunch du lendemain (voir astuce).
Les pilons cuits se conservent 4 jours au réfrigérateur ou 4 mois au congélateur.

Astuces : Pendant que le poulet cuit, vous pouvez préparer les ingrédients du wrap à l'asiatique (voir variante). Les deux recettes seront pratiquement prêtes en même temps. Après le repas, vous pourrez relaxer en sachant que les lunchs du lendemain sont réglés ! La sauce hoisin est une sauce brune et épaisse. D'origine chinoise, elle est faite à base de soya et de patates douces. À l'épicerie, elle se trouve habituellement tout près de la sauce soya.

Variante : Utilisez le surplus de poulet pour préparer de délicieux wraps à l'asiatique : détachez le poulet de l'os et répartissez 4 tortillas de blé entier sur un comptoir propre. Placez une grande feuille de laitue Boston au centre de chaque tortilla. Garnissez de morceaux de poulet, de lanières de poivron rouge, de lamelles de mangue, de bâtonnets de concombre et de quelques feuilles de coriandre fraîche. Roulez, emballez dans une pellicule de plastique et c'est prêt pour la boîte à lunch !

Pizza-pochette

12 POCHETTES • PRÉPARATION : 15 min • CUISSON : 10 min • PRIX : 0,60 $ / pochette

INGRÉDIENTS VEDETTES

pains ciabattas

poivron jaune

simili-pepperoni
végétarien

mozzarella

sauce à pizza

---

12 **pains ciabattas** miniatures

1/2 **poivron jaune**
en petits dés

5 **champignons** hachés
finement

30 g (1 oz) de **simili-pepperoni
végétarien** (environ
10 tranches hachées finement)

125 ml (1/2 tasse)
de **mozzarella** râpé
(environ 50 g / 1,75 oz)

80 ml (1/3 tasse) de
sauce à pizza maison
(voir page 70) ou du commerce

10 ml (2 c. à thé)
d'**huile végétale**
(facultatif)

---

1. Placer la grille au centre du four et préchauffer le four à 180 ºC (350 ºF).
2. Couper une mince tranche (calotte) sous chaque petit pain et la conserver. Creuser le pain en retirant une partie de la mie.
3. Dans un bol, mélanger le poivron, les champignons, le simili-pepperoni, le fromage et la sauce.
4. Garnir les pains d'environ 30 ml (2 c. à soupe) de garniture.
5. Mouiller le contour de la calotte avec quelques gouttes d'eau pour qu'elle colle au reste du pain pendant la cuisson. Replacer la calotte sous chaque pain.
6. Placer les pochettes sur une plaque de cuisson. Presser légèrement pour bien sceller les pains. Badigeonner les pochettes d'un peu d'huile si désiré.
7. Cuire au four pendant 10 minutes ou jusqu'à ce que les pizza-pochettes soient dorées.
8. Laisser refroidir 5 minutes avant de servir. Les pizza-pochettes cuites se conservent 3 jours au réfrigérateur ou 2 mois au congélateur, avant la cuisson. Cuire les pizza-pochettes congelées de 15 à 20 minutes dans un four préchauffé à 180 ºC (350 ºF).

**VALEURS
NUTRITIVES**
(par portion)

---

110 Calories
Protéines : 5 g
Lipides : 4 g
Glucides : 15 g
Fibres : 1 g
Sodium : 197 mg

Astuce : Le simili-pepperoni végétarien contient 10 fois moins de gras et 2 fois moins de sodium que le pepperoni régulier fait à base de porc. De plus, le simili-pepperoni ne contient aucun nitrite, un agent de conservation montré du doigt par le Fonds mondial de recherche contre le cancer. À l'épicerie, on trouve habituellement le simili-pepperoni végétarien dans le comptoir réfrigéré de la section des fruits et des légumes.

Variante : Comme une vraie pizza, ces petites pizza-pochettes s'adaptent à tous les goûts. Variez les fromages, les garnitures et les viandes. Et pourquoi ne pas en faire des versions gourmets avec du fromage de chèvre, des cœurs d'artichauts, des poivrons marinés et du poulet grillé ?

Pâtes à la sauce rosée

6 PORTIONS • PRÉPARATION : 10 min • CUISSON : 20 min
PRIX : 2,11 $/portion (avec des pâtes fraîches farcies) ou 1,62 $/portion (avec des pâtes alimentaires régulières)

INGRÉDIENTS VEDETTES

tomates séchées

tomates en dés

lait

farine

mozzarella

350 g (12 oz) de **tortellinis** farcis au fromage
ou 1 L (4 tasses) de pâtes alimentaires sèches

125 ml (1/2 tasse) de **tomates séchées**, conservées dans l'huile et égouttées (environ 10 morceaux)

1 petit **oignon**

1 boîte de 796 ml (28 oz) de **tomates en dés**, égouttées

1 gousse d'**ail** hachée

500 ml (2 tasses) de **lait**, divisé en 2

60 ml (1/4 tasse) de **farine tout usage** non blanchie

250 ml (1 tasse) de **mozzarella** partiellement écrémé râpé (environ 100 g / 3,5 oz)

15 ml (1 c. à soupe) d'**herbes de Provence** ou de fines herbes séchées à l'italienne

Poivre du moulin et **sel**

1. Cuire les pâtes selon le mode d'emploi sur l'emballage. Elles doivent être *al dente* (cuites, mais encore fermes). Égoutter et réserver.
2. Hacher grossièrement les tomates séchées et l'oignon.
3. Dans une casserole moyenne, cuire les tomates séchées et l'oignon 5 minutes à feu moyen. Ne pas ajouter de matières grasses : l'huile contenue dans les tomates séchées suffira.
4. Incorporer les tomates égouttées et l'ail, couvrir et cuire 10 minutes.
5. Retirer du feu et transvider le mélange de tomates dans la jarre du mélangeur électrique (*blender*). Réduire en purée très lisse.
6. Verser 250 ml (1 tasse) de lait dans la casserole refroidie. Saupoudrer la farine en fine pluie et fouetter vigoureusement pour éviter que la farine ne forme des grumeaux.
7. Ajouter le reste du lait et chauffer à feu moyen en fouettant régulièrement jusqu'à épaississement. Ne pas porter à ébullition.
8. Ajouter le mélange de tomates et le fromage râpé à la préparation au lait. Incorporer les herbes, poivrer généreusement et ajouter une pincée de sel.
9. Servir avec des tortellinis au fromage ou avec une autre pâte alimentaire, au choix.
   La sauce se conserve 4 jours au réfrigérateur ou 2 mois au congélateur. Dégeler la sauce à feu doux en remuant et ajouter un peu de fromage râpé pour bien la lier.

VALEURS NUTRITIVES
(par portion)

255 Calories
Protéines : 15 g
Lipides : 6 g
Glucides : 33 g
Fibres : 3 g
Sodium : 318 mg

Astuce : Pour les soirs pressés, les pâtes fraîches représentent un bon raccourci. Elles cuisent en moins de temps qu'il n'en faut pour préparer la sauce. Vous aurez même le temps de préparer une petite salade d'accompagnement !

Variante : Vous pouvez servir cette sauce rosée avec une poitrine de poulet grillée ou des crevettes sautées dans un peu d'ail. Ajoutez une salade et du pain croûté, et voilà un repas vite fait qui brisera votre routine.

Veau à la moutarde à la mijoteuse

6 PORTIONS • PRÉPARATION : 10 min • CUISSON : 6 h (à faible intensité) • PRIX : 1,67 $ / portion

INGRÉDIENTS VEDETTES

vinaigre de cidre

moutarde à l'ancienne et moutarde de Dijon

cassonade

compote de pommes

rôti de palette de veau

60 ml (1/4 tasse) de **vinaigre de cidre**

60 ml (1/4 tasse) de **moutarde de Meaux** ou de moutarde à l'ancienne

60 ml (1/4 tasse) de **moutarde de Dijon**

60 ml (1/4 tasse) de **cassonade** légèrement tassée

125 ml (1/2 tasse) de **compote de pommes** non sucrée

Poivre du moulin et **sel**

2 kg (4 lb) de **rôti de palette de veau de lait**

ACCOMPAGNEMENTS (facultatif)

Grelots de pommes de terre

Haricots verts

1. Dans un bol, mélanger le vinaigre, les moutardes, la cassonade et la compote de pommes. Poivrer généreusement et ajouter une pincée de sel.
2. Verser la moitié du mélange au fond de la mijoteuse. Déposer le rôti et recouvrir avec le reste du mélange.
3. Couvrir et programmer la mijoteuse pour une cuisson de 6 heures à faible intensité. Le mode réchaud s'activera à la fin de la cuisson.
4. Environ 30 minutes avant de servir, activer la mijoteuse à intensité élevée et ajouter les grelots. Incorporer les haricots 15 minutes plus tard.
5. Servir le rôti avec des grelots et des haricots. Se conserve 4 jours au réfrigérateur ou 4 mois au congélateur, préparer les accompagnements au moment de servir.

Astuce : Si vous n'avez pas de mijoteuse, vous pouvez aussi préparer cette recette au four. Versez la moitié du mélange de sauce au fond d'une rôtissoire, déposez le rôti et versez le reste de la sauce. Le rôti doit être presque de la même dimension que le plat de cuisson, sinon la sauce risque de carboniser. Couvrez de papier aluminium et enfournez 4 heures à 180 ºC (350 ºF). Ajoutez les grelots et les haricots respectivement 30 minutes et 15 minutes avant la fin de la cuisson.

Variante : Vous pouvez servir le rôti avec une purée de pommes de terre (voir page 80) ou des nouilles aux œufs. Il vous reste du rôti ? Effilochez-le et ajoutez-le à un *grilled cheese* au cheddar fort ou intégrez-le dans un panini garni de cornichons surs et de fromage suisse. Cette recette peut se préparer avec un rôti de porc ou de bœuf. Surveillez les spéciaux pour économiser.

VALEURS NUTRITIVES
(par portion)

184 Calories
Protéines : 25 g
Lipides : 3 g
Glucides : 13 g
Fibres : 1 g
Sodium : 385 mg

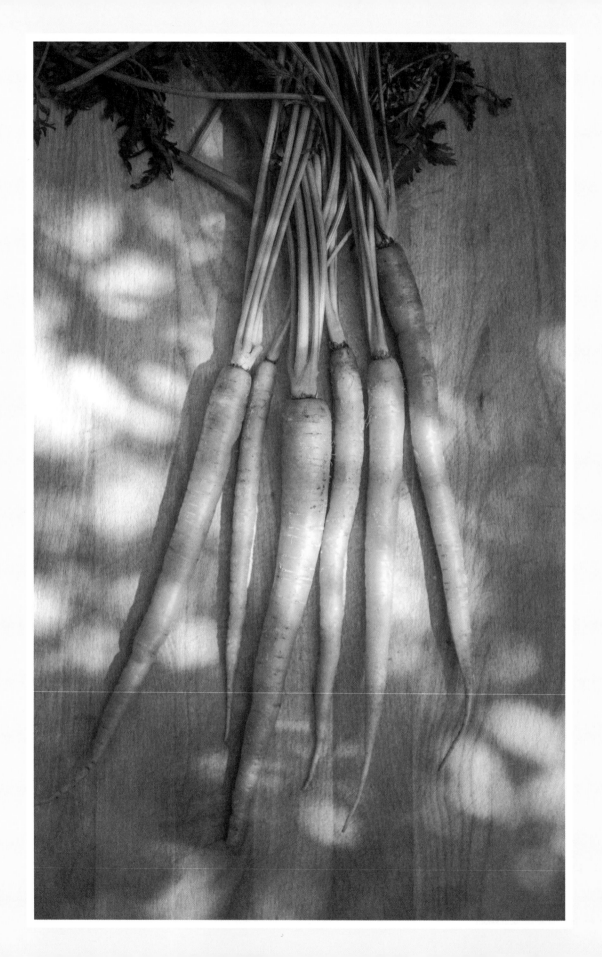

ADOPTER
LES LÉGUMES

Ce serait tellement simple si les enfants aimaient TOUS les légumes. Oubliez ça! Chaque enfant est unique et ses goûts font partie de ce qui le caractérise. Il faut se faire à l'idée: votre enfant n'aimera jamais tous, tous, tous les légumes. L'important, c'est qu'il en mange et, grâce aux trucs simples qui suivent, il en mangera un peu plus chaque jour!

Le point de vue de Geneviève

Au moment de rédiger ce texte, j'ai dû appeler Alexandra à la rescousse : «Alex, je ne sais pas quoi écrire à propos des légumes! À part que je les aime...» C'est vrai, je n'ai rien de croustillant à raconter sur les légumes. Je ne me bats pas avec ma fille pour qu'elle en mange, et mes parents ne se sont jamais battus avec moi non plus. Ma relation avec les légumes est sans histoire.

Cependant, en jasant «légumes» avec ma complice, j'ai réalisé que j'aime les légumes, mais pas n'importe comment. Mon plaisir tient à un fil. Il m'arrive de laisser des légumes dans l'assiette lorsqu'ils sont mous, trop cuits. Je les aime frais et croquants. Alors, pour mettre les légumes «de mon bord», j'évite de trop les cuire, tout simplement.

Plusieurs légumes, lorsqu'ils sont trop cuits, deviennent amers. Et l'amertume, c'est une saveur mal aimée, surtout des enfants.

Je sais que ça fait plaisir à ma fille lorsque je fais caraméliser les carottes dans le miel ou lorsque je «glace» des champignons dans le sirop d'érable. J'ai aussi pris l'habitude d'ajouter une pincée de fleur de sel et un trait de jus de citron sur des asperges rôties ou un peu de sauce tamari sur des fleurons de brocoli cuits, mais encore croquants. Ça fait toute la différence!

À bien y penser, j'en ai long à dire sur les légumes. Ne me lancez pas sur le sujet, vous n'aurez pas fini de m'entendre...

Le point de vue d'Alexandra

Les légumes sont rois chez moi. Contrairement à de nombreux parents qui désespèrent en essayant d'en faire manger un minimum à leurs enfants, j'ai la chance que les miens en raffolent.

Ma Simone, par exemple, est née légumivore. Elle demande des tomates au déjeuner; son vœu est exaucé! Mon Henri aime les légumes façon tapas: une belle variété dans des plats différents arrosés d'une bonne huile d'olive et d'une pincée de fleur de sel, qu'il prépare lui-même.

Quand j'étais enfant, c'était tout à fait normal de servir deux ou trois assiettes de salades composées. Encore aujourd'hui, il me faut ma montagne de légumes au lunch et au souper, probablement parce que les habitudes s'ancrent lorsqu'on est jeune.

À présent, mon répertoire de salades comporte cinq ou six piliers que j'offre à ma famille : une salade de fenouil et mandarine, une de tomates et mozzarina, une de chou, une de concombres et feta, une de roquette et parmesan et la championne, celle de maïs et tomates. J'en essaie de nouvelles de temps en temps, mais ce sont souvent les mêmes qui reviennent et je n'ai jamais entendu mes créatures hurler: «Pas encore, maman!» De toute façon, quand je veux de la diversité, je vais chez mon amie Caro, reine des légumes en salade, et je lui pique une recette.

Selon une étude de l'Université de Montréal, plus on utilise les récompenses alimentaires avec nos enfants, plus ceux-ci seront attirés par les desserts, et moins ils seront tentés par les légumes[3].

Florence K,
auteure-compositrice-interprète, maman d'Alice (7 ans)

« Quand je veux donner du goût à mes inventions culinaires, j'y incorpore une boîte de lait de coco et du cari rouge. Autant dans les légumes que dans le poulet. Et ça fait vraiment la *job*! »

« Je me rappelle avoir échappé à ma fille un "goûte pour me faire plaisir", après m'être donné du mal pour préparer un repas assez élaboré. En le disant, j'ai réalisé que je venais de mélanger amour et alimentation. Très mauvais message! Bien sûr que je l'aimerai de tout mon cœur même si elle n'avale plus une seule carotte de toute sa vie. Qui n'a pas déjà entendu les commentaires du genre: "Sois un bon garçon", "fais-le pour moi" ou "sois gentil et goûte". Pire encore: "Tu me fais de la peine" ou le pire du pire: "Montre que tu m'aimes et goûte". On ne mange pas pour être aimé, point! »
— **Alexandra**

✦ **LE TRUC DU PRO** ✦

Hà Nguyen,
chef chez Souvenirs d'Indochine
SAUVÉ PAR LE SAUTÉ

« Les sautés permettent de récupérer des légumes qu'on ne mangerait pas en salade, mais qui sont encore trop beaux pour en faire une soupe. Ce qui fonctionne bien, c'est un mélange de sauce salée et sucrée. Avec un peu de sauce aux huîtres et un peu de sauce hoisin, on a le juste équilibre entre les deux. De plus, les sautés permettent d'intégrer de nouveaux légumes. Combiner la nouveauté avec quelque chose de connu, c'est gagnant. »

Rima Elkouri,
chroniqueuse, mère de deux enfants (9 ans et 7 ans)

« Même si l'un de mes garçons n'aime pas tous les légumes, je me rassure en me disant qu'au moins, il en mange. On ne lâche pas, mais ça ne doit pas devenir une bataille quotidienne, sinon ça empoisonne la vie. »

Annie Desrochers,
journaliste, maman d'Éloi (11 ans), d'Ulysse (9 ans), d'Albert (7 ans), de Blanche (4 ans) et de Philémon (5 mois)

« Parfois, j'entends des mères dire : "Ah! Mon enfant ne mange rien!" Je leur demande alors de rédiger tout ce qu'il a mangé pendant la semaine. Au lieu de voir un repas, elles voient un portrait qui s'étend sur plusieurs jours et elles se disent: "Tiens, finalement, il mange pas mal de trucs!" »

« Je répète souvent à ma fille que les goûts changent en grandissant et qu'il faut de temps en temps essayer de nouveau un aliment, "juste pour voir" si les papilles ont changé d'avis. Je me dis qu'à force de goûter, ses goûts vont évoluer: alors j'aurai eu raison! »
— **Geneviève**

Kim Thúy,
écrivaine, maman de Justin (13 ans) et de Valmont (11 ans)

« Je mets de la lime partout. Sur les légumes, dans les vinaigrettes, dans la salade. Même sur une papaye qui est un peu fade. Ça relève le goût des aliments. »

« Ma mère le répète souvent: "On ne naît pas mère, il faut apprendre à le devenir". »

Plus les enfants voient leurs parents manger des légumes, plus ils auront tendance à en manger eux aussi![4]

✦ LE TRUC DU PRO ✦

Julie Perreault

Stefano Faita,
chef chez Impasto

DES LÉGUMES CROQUANTS À L'ITALIENNE

« Voici un truc de ma mère, Elena. Ça marchait avec moi et ça marche avec mes enfants. Brocoli, pois mange-tout, bok choy... Dans un poêlon, on chauffe de l'huile d'olive et on ajoute une gousse d'ail. On la laisse colorer, puis on dépose un légume vert de notre choix, de 5 à 7 minutes. Le truc, c'est d'ajouter 60 ml (1/4 tasse) d'eau. On baisse le feu et on couvre. L'huile d'olive et l'ail donnent tout le bon goût au légume qu'on veut un peu croquant. On ajoute ensuite du sel au goût. »

« **Dans la cuisine française** ou québécoise, le légume est souvent servi en accompagnement dans l'assiette. Alors que dans la cuisine asiatique, les légumes sont intégrés au plat. On les mange presque à notre insu. Avec les enfants, ça passe mieux ! »

KIM THÚY, ÉCRIVAINE, MAMAN DE JUSTIN (13 ANS) ET DE VALMONT (11 ANS)

Sophie Banford,
éditrice de magazine, maman de Philippe (8 ans) et de Patrick (1 an)

« Chez nous, mes hommes n'aiment pas les légumes. Quand Philippe était très jeune, je lui en donnais de toutes sortes, mais il n'y avait rien à faire ! La solution a été les potages. Heureusement, tout le monde en raffole à la maison ! Le week-end, je prends tous les légumes qui restent dans le frigo, et ça donne toujours une soupe extraordinaire.

Chantal Lamarre,
animatrice et chroniqueuse, maman d'Agathe (10 ans) et de Timothée (8 ans)

« On a beaucoup joué au restaurant avec les enfants pour rendre le quotidien festif. On avait une espèce de grand tableau sur lequel ils écrivaient le menu. Ils faisaient ensuite le service. Encore aujourd'hui, ils jouent au chef : "Ça manque de sel ! On n'a pas respecté le produit, ici ! Est-ce que c'est gastronomique ?" Sont ben drôles ! »

Patrick Marsolais,
animateur, papa de Noah (12 ans), de Clara (8 ans) et de Philippe (5 ans)

« Je suis chanceux, car mes enfants aiment beaucoup les légumes et les légumineuses. Donc, quand ils me demandent de la malbouffe, ça me dérange moins. »

Rita Lafontaine,
comédienne, maman et grand-maman !

« Ma fille, qui avait toujours bien mangé, est un jour devenue rebelle. Elle ne voulait plus rien avaler ! J'ai donc commencé à dresser la table avec un seul couvert. Elle a fini par me demander : "Et moi, je ne mange pas ?" Elle s'est vite attablée et a recommencé à manger. Un peu de psychologie inversée fait de petits miracles… »

✤ LE TRUC DU PRO ✤

David Côté,
chef chez Crudessence

Mathieu Dupuis

LE SMOOTHIE, UN AMI !

« Étant donné que les gens ne mangent pas assez de légumes verts, je propose un smoothie vert. Ça prend 45 secondes à préparer. Quand on mange du vert, surtout des feuilles, on obtient des minéraux et des phytonutriments. Pour ne pas se casser la tête, on prend des fruits et des végétaux qu'on aime. Voici quelques combinaisons possibles : épinards et oranges, kale (chou vert) ou cresson et melon d'eau. J'ajoute du persil, riche en fer et en calcium. Je verse ensuite de l'eau, du lait ou du lait d'amandes, au choix. Je passe le tout au mélangeur. C'est vraiment simple. »

LES CHIPS, C'EST PERMIS !

« Qui aurait pensé que des chips de chou pourraient être si populaires ! L'avantage, c'est qu'on peut en manger à volonté, sans culpabilité. Avec le chou frisé vert (kale), c'est idéal. On retire la tige, on coupe les feuilles au ciseau de la grosseur d'une croustille et on les badigeonne d'huile de sésame ou autre. Il ne reste qu'à les déposer sur une plaque et à les enfourner à 200 °C (400 °F) de 15 à 20 minutes ou jusqu'à ce qu'elles soient croustillantes. On laisse refroidir avant de déguster. »

Le truc ultime pour que les enfants mangent des légumes, c'est de ne pas trop insister. Notre responsabilité est de mettre des légumes dans leur assiette, mais pas jusque dans leur bouche!

✦ LE TRUC DU PRO ✦

Daren Bergeron,
chef chez Fou d'ici

DES CRUDITÉS REVISITÉES

« J'aime travailler les légumes pour les rendre intrigants et jolis. Je les taille avec une mandoline, car selon la grosseur des tranches, le goût des légumes sera différent. Si un radis est fin comme un pétale de rose, son goût poivré sera moins présent. Quant à la betterave, plus elle est finement tranchée, moins elle est amère. Une fois le légume coupé, on choisit des herbes fraîches – de la ciboulette, de l'aneth, de la coriandre, du persil plat –, une vinaigrette au choix, et voilà! La mandoline coûte une vingtaine de dollars et fait de belles coupes précises: mais attention, c'est tranchant!»

PROLONGER L'ÉTÉ

« Pour conserver les légumes de saison, on fait une marinade de base avec de l'eau, du vinaigre, du sucre et on ajoute les aromates dont on dispose à la maison (de l'aneth, des graines de coriandre, de la moutarde). On porte le tout à ébullition. Ensuite, on verse le liquide chaud sur les légumes choisis, on recouvre d'une pellicule plastique et on laisse refroidir et macérer environ une demi-heure. Finalement, on glisse les légumes dans un sac de conservation sous vide, on verse une petite quantité de liquide, puis on scelle avec l'appareil. Les légumes se conservent au frigo pendant quelques mois. On alterne ensuite entre les légumes frais et les légumes marinés, pour plus de variété. C'est une méthode qui facilite la préparation des repas et qui nous permet de prendre de l'avance.»

PARENTS FUTÉS

« Nous, on fait un jardin. Ce sont les enfants qui décident de ce que l'on plante, mais ils doivent manger leur récolte. Tous les ans, ils essaient des aliments nouveaux et c'est superbe de les voir attendre que ça pousse!!!»

MARIE-FRANCE CÔTÉ, MAMAN DE BÉATRICE (15 ANS) ET D'ÉZÉKIEL (8 ANS)

« J'ai une garderie et je fais des crèmes ou des potages de légumes que l'on boit dans un verre. Les enfants adorent ça. C'est amusant et ça se mange mieux!»

DENISE MÉNARD

LA DISCIPLINE VUE PAR...

Josée Boudreault, animatrice, maman de Chloé (12 ans), d'Annabelle (5 ans) et de Flavie (3 ans)

« Chez nous, il n'y a pas de discipline. Je compte plutôt jusqu'à trois. Je ne sais pas ce que ce chiffre fait à mes filles, mais elles en ont peur! Quand je dis: "Ok, attention, 1, 2..." Elles tripent sur 2 ½, mais 3, ça les rend folles! Et ça marche encore avec Chloé, qui a 12 ans! »

Patrick Marsolais, animateur, papa de Noah (12 ans), de Clara (8 ans) et de Philippe (5 ans)

« On s'est tous fait prendre à notre propre piège en donnant des punitions qui n'avaient aucun sens et qui étaient tellement exagérées qu'on ne pouvait pas les respecter. J'ai plutôt choisi de parler à mes enfants, de poser des questions. Et je n'ai plus vraiment besoin de faire de discipline. »

Kim Thúy, écrivaine, maman de Justin (13 ans) et de Valmont (11 ans)

« Quand je suis en colère, je me tais. Le silence intimide les enfants. J'ai juste besoin de regarder vers le bas, de fermer les paupières, et c'est fini. »

Tania Lemieux

Pierre-Yves Lord, animateur, papa d'Édouard (4 ans) et d'Olivia (1 an)

« Mon fils cherche constamment la brèche pour contourner une règle. Ça me met hors de moi... mais me rend tellement heureux en même temps. Je vois ça comme de la ruse, un signe d'intelligence. »

Tacos Speedy Gonzalez

4 PORTIONS · PRÉPARATION : 10 min · CUISSON : 20 min · PRIX : 3,46 $ / portion

INGRÉDIENTS VEDETTES

oignon rouge

champignons

huile végétale

coriandre

lime

1/2 **oignon rouge** coupé en 2

1/2 paquet de **champignons** tranchés (125 g / 4 oz)

1 **carotte** moyenne coupée en 4

5 ml (1 c. à thé) d'**huile végétale**

450 g (1 lb) de **dinde hachée** ou autre viande hachée maigre

15 ml (1 c. à soupe) d'assaisonnement au **chili mexicain**

15 ml (1 c. à soupe) de **paprika fumé** doux

15 ml (1 c. à soupe) de **cumin**

Poivre du moulin et **sel**

60 ml (1/4 tasse) de **coriandre fraîche** hachée finement ou autre herbe fraîche

1 **lime** pressée

8 petites **tortillas** souples ou 8 coquilles à tacos

GARNITURE

Tomate en dés

Laitue émincée

Cheddar râpé

Guacamole (purée d'avocat)

Yogourt grec nature (ou crème sure allégée)

Salsa mexicaine (maison ou du commerce)

1. Au robot culinaire, hacher très finement l'oignon, les champignons et la carotte. Verser l'huile dans un poêlon antiadhésif et répartir sur toute la surface à l'aide d'un pinceau de cuisine. Transvider les légumes dans le poêlon et cuire à feu moyen-vif de 5 à 10 minutes pour que l'eau s'évapore des légumes. Remuer à quelques reprises.
2. Ajouter la dinde hachée, l'égrainer à l'aide d'une cuillère de bois et cuire à feu moyen-vif. Lorsque la dinde est cuite, ajouter les assaisonnements au chili, le paprika fumé et le cumin, poivrer généreusement et ajouter une pincée de sel. Garnir de coriandre, arroser de jus de lime et placer le poêlon sur un sous-plat, au centre de la table.
3. Disposer les tortillas (ou les coquilles à tacos) ainsi que toutes les garnitures sur la table. Chacun assemble ses tacos en déposant d'abord la préparation de dinde et ensuite la garniture, au goût. La préparation de dinde se conserve 3 jours au réfrigérateur ou 3 mois au congélateur. Réchauffer et assembler les tacos au moment de servir.

VALEURS NUTRITIVES
(par portion)

420 Calories
Protéines : 29 g
Lipides : 15 g
Glucides : 43 g
Fibres : 5 g
Sodium : 459 mg

Astuce : On a toujours besoin de trucs pour ajouter quelques portions de légumes à notre menu. Bien sûr, rien ne vaut les légumes croqués «au naturel», sans déguisement ni camouflage, mais même les amoureux des légumes ont parfois besoin d'aide pour consommer les 5 à 10 portions recommandées chaque jour.

Variante : Vous pouvez transformer cette recette en burritos. Préparez la recette jusqu'à l'étape 3. Répartissez ensuite la préparation de dinde dans de grandes tortillas et refermez-les en repliant d'abord les extrémités puis en les roulant pour former de gros cigares. Placez-les dans un grand plat de cuisson, recouvrez de salsa mexicaine ou de sauce.

Pebre chilien et pointes de tortillas

8 PORTIONS • PRÉPARATION : 20 min • CUISSON : 10 min • PRIX : 0,76 $ / portion

INGRÉDIENTS VEDETTES

boîte de tomates entières

coriandre fraîche

huile d'olive

tortillas de blé entier

œuf

PEBRE

1 boîte de 796 ml (28 oz) de **tomates** entières

1/2 **citron** pressé

5 **oignons verts** hachés (parties blanche et verte)

1/2 botte de **coriandre** fraîche hachée (facultatif)

2 gousses d'**ail** hachées

60 ml (1/4 tasse) d'**huile d'olive**

Poivre du moulin et **sel**

Sauce piquante (de type Tabasco - facultatif)

TORTILLAS

4 **tortillas** de blé entier

1 blanc d'**œuf** dilué dans un peu d'eau

Assaisonnements au choix
épices cajun, poudre d'ail, herbes de Provence, paprika, parmesan, graines de sésame...

PEBRE

1. Déposer les tomates et leur jus dans un grand bol, puis broyer avec les mains.
2. Ajouter le jus de citron, les oignons verts, la coriandre, l'ail et l'huile. Poivrer généreusement et ajouter une pincée de sel. Mélanger et ajuster les assaisonnements au goût. Relever avec quelques gouttes de sauce piquante, si désiré.
3. Servir avec des pointes de tortillas grillées (voir plus bas), des croustilles de maïs, une viande ou un poisson grillé.
   Le pebre se conserve 3 jours au réfrigérateur et ne se congèle pas.

POINTES DE TORTILLAS

1. Placer la grille au centre du four et préchauffer le four à 180 ºC (350 ºF).
2. Avec un pinceau, badigeonner de blanc d'œuf chaque tortilla, saupoudrer d'assaisonnements au choix et couper en 8 pointes à l'aide de ciseaux.
3. Placer sur une plaque recouverte de papier parchemin et cuire de 10 à 15 minutes ou jusqu'à ce que les pointes deviennent dorées et croustillantes. Surveiller la cuisson régulièrement.
   Les pointes de tortillas se conservent 10 jours dans un contenant hermétique. Au besoin, réchauffer quelques minutes dans un four préchauffé à 120 ºC (250 ºF).

VALEURS NUTRITIVES
(par portion)

139 Calories
Protéines : 3 g
Lipides : 8 g
Glucides : 14 g
Fibres : 2 g
Sodium : 120 mg

Astuce : Les enfants adorent écraser les tomates avec leurs doigts. Utilisez un très grand bol pour éviter les éclaboussures et demandez l'aide de vos apprentis cuistots pour cette étape. C'est une excellente façon de les intéresser à la cuisine.

Variante : Il n'y a pas qu'une seule recette de pebre : chaque famille chilienne a la sienne. Alors, osez l'adapter à votre goût en ajoutant plus de citron ou moins d'oignons verts... Vous pouvez aussi remplacer les oignons verts par de l'oignon rouge ou encore, ajouter de la ciboulette.

Sauce à pizza extra légumes

6 PORTIONS • PRÉPARATION : 10 min • CUISSON : 10 min • PRIX : 0,99 $ / portion

INGRÉDIENTS VEDETTES

oignon rouge

poivron rouge

courgette

pâte de tomate

romarin

1 petit **oignon rouge**

1 **poivron rouge**

4 **champignons**

1 **courgette** jaune ou verte (zucchini)

2 gousses d'**ail**

15 ml (1 c. à soupe) d'**huile végétale**

2 boîtes de 156 ml (5,5 oz chacune) de **pâte de tomate**

1 branche de **romarin** frais effeuillé ou 5 ml (1 c. à thé) de romarin séché

Poivre du moulin et **sel**

1. Placer la grille au centre du four et préchauffer le four à 220 °C (450 °F).
2. Hacher grossièrement l'oignon, le poivron, les champignons, la courgette et l'ail.
3. Dans un poêlon antiadhésif, chauffer l'huile et cuire les légumes à feu moyen de 7 à 10 minutes ou jusqu'à ce qu'ils soient tendres et commencent à dorer.
4. Au pied-mélangeur ou au mélangeur électrique (*blender*), réduire les légumes en purée avec la pâte de tomate et le romarin. Poivrer généreusement et ajouter une pincée de sel.
5. Étendre sur une pâte à pizza, garnir de légumes et de fromage, puis cuire au four 15 minutes. La sauce se conserve 5 jours au réfrigérateur ou 6 mois au congélateur.

VALEURS NUTRITIVES
(par portion)

86 Calories
Protéines : 4 g
Lipides : 3 g
Glucides : 14 g
Fibres : 3 g
Sodium : 84 mg

Astuce : Pour épargner du temps, vous avez deux options : soit faire la pâte maison et utiliser une sauce du commerce, soit acheter une pâte déjà faite et préparer la sauce à pizza maison. Toutefois, pour avoir la meilleure pizza en ville, on vous recommande de faire la pâte et la sauce maison. Ce n'est pas si compliqué et c'est tellement meilleur ! Pourquoi ne pas faire une double recette et congeler une pizza toute garnie pour les soirs pressés ?

Variante : Vous pouvez varier les légumes selon vos goûts et ce que vous avez sous la main. Pour un repas vite fait, étendez la sauce sur des moitiés de muffin anglais ou sur des petits pitas, garnissez de légumes, de thon, de poulet ou de crevettes, et terminez avec le fromage râpé. Et hop ! On enfourne pour faire gratiner.

Pâte à pizza maison

1 BOULE · PRÉPARATION : 10 min · CUISSON : 15 min

PRIX : 1,45 $ / portion de 1/2 pizza à croûte mince garnie de fromage, de sauce maison et de légumes

**INGRÉDIENTS
VEDETTES**

farine à pain

farine de blé entier

sachet de levure
sèche formule pizza
(de type Fleischmann's)

sucre

huile végétale

125 ml (1/2 tasse) de **farine à pain** ou de farine tout usage non blanchie

250 ml (1 tasse) de **farine de blé** entier, divisée en 2 (ou plus, selon la texture de la pâte)

10 ml (2 c. à thé) ou 1 sachet de 8 g de **levure** sèche formule pizza ou de levure à levée rapide (de type Fleischmann's)

2,5 ml (1/2 c. à thé) de **sel**

5 ml (1 c. à thé) de **sucre** blanc

150 ml (2/3 tasse) d'**eau** chaude

30 ml (2 c. à soupe) d'**huile végétale**

1. Placer la grille au centre du four et préchauffer le four à 220 °C (450 °F).
2. Dans un bol, mélanger la farine, la moitié (125 ml ou 1/2 tasse) de la farine de blé entier, la levure, le sel et le sucre.
3. Former un puits au centre du mélange et y verser l'eau et l'huile. Mélanger jusqu'à la formation d'une boule de pâte collante.
4. Déposer le reste de la farine de blé entier sur une surface de travail. Déposer la pâte et mélanger à la main jusqu'à ce que toute la farine libre soit intégrée à la pâte. Ne pas trop mélanger et éviter de pétrir. Si la pâte demeure très collante, ajouter plus de farine.
5. Étendre la pâte sur une ou deux plaques à pizza, selon l'épaisseur de croûte souhaitée. Utiliser un rouleau à pâtisserie enfariné si désiré.
6. Garnir de sauce à pizza, de légumes de votre choix et de fromage, puis cuire au four 15 minutes. Une pizza garnie et cuite se conserve 5 jours au réfrigérateur ou 3 mois au congélateur, avant la cuisson. Cuire au four à 220 °C (450 °F) sans décongeler pendant 20 minutes.

**VALEURS
NUTRITIVES**
(par portion)

390 Calories
Protéines : 19 g
Lipides : 15 g
Glucides : 46 g
Fibres : 6 g
Sodium : 489 mg

Astuce : Préparer sa pâte à pizza maison, ça peut être intimidant. Mais il suffit de la faire une fois pour réaliser que ce n'est pas si compliqué. De plus, les enfants adorent ça! Du gros fun! C'est encore plus cool que la pâte à modeler parce qu'ensuite, on peut la manger.

Variante : Transformez votre pizza en calzone : les enfants adorent! Garnissez seulement la moitié de la surface de la pâte, repliez l'autre moitié et scellez la pâte en pressant avec les doigts pour former une pochette. Utilisez un peu d'eau au besoin. Cuire au four de 15 à 20 minutes ou jusqu'à ce que le calzone soit bien doré. Laissez tempérer 5 minutes avant de servir, car l'intérieur sera très chaud !

La salade de tomates et de maïs d'Alex

4 PORTIONS • PRÉPARATION : 10 min • CUISSON : 15 min • PRIX : 2,18 $ / portion

INGRÉDIENTS VEDETTES

épis de maïs

beurre et huile d'olive

tomates

épices à steak

basilic frais

4 épis de **maïs**

10 ml (2 c. à thé) de **beurre**

4 **tomates** bien mûres ou 500 ml (2 tasses) de tomates cerises coupées en 2

30 ml (2 c. à soupe) d'**huile d'olive**

10 ml (2 c. à thé) d'**épices à steak**

250 ml (1 tasse) de **basilic frais** ciselé ou autre herbe fraîche

1. Cuire les épis de maïs de 8 à 10 minutes dans l'eau bouillante. Égoutter et égrainer les épis au couteau. Déposer les grains de maïs encore chauds dans un bol et ajouter le beurre. Mélanger pour faire fondre ce dernier.
2. Couper les tomates en quartiers, les déposer dans un autre bol et ajouter l'huile d'olive, les épices à steak et le basilic. Mélanger.
3. Combiner le maïs et les tomates, puis servir. Ajuster les assaisonnements au goût.
Se conserve 2 jours au réfrigérateur et ne se congèle pas. Toutefois, cette recette est meilleure si elle est consommée immédiatement.

Astuce : C'est le contraste entre le maïs chaud et les tomates fraîches qui fait tout le succès de cette recette. Vous pouvez cuire vos épis de maïs au four à micro-ondes : déposez les épis dans un contenant en verre (de style Pyrex) avec un peu d'eau au fond du plat, couvrir et cuire de 7 à 8 minutes. Le maïs est prêt lorsque sa couleur est vive et qu'un grain éclate facilement sous la pression de la fourchette.

Variante : Cette recette est idéale pour utiliser les fines herbes de votre jardin. Ajoutez-lui de la coriandre, de la ciboulette, du thym citronné ou de l'origan... ce sera délicieux. Et pour transformer cette salade d'accompagnement en repas complet, ajoutez-lui des dés de poulet cuit et du fromage feta égrainé. Vous avez envie de cuisiner cette salade en plein mois de janvier ? Vous pouvez la préparer avec 500 ml (2 tasses) de maïs surgelé que vous ferez cuire à la vapeur 5 minutes.

VALEURS NUTRITIVES
(par portion)

198 Calories
Protéines : 5 g
Lipides : 10 g
Glucides : 26 g
Fibres : 4 g
Sodium : 169 mg

Pains de viande miniatures

6 PORTIONS DE 2 PAINS DE VIANDE MINIATURES • PRÉPARATION : 10 min
CUISSON : 30 min • PRIX : 2,82 $ / portion

INGRÉDIENTS VEDETTES

courgette jaune
ou verte (zucchini)

carotte

bœuf haché

céréales pour bébé

prosciutto

1/2 **oignon jaune** coupé en 2

1 **courgette** jaune ou verte
(zucchini) coupée en 4

1 **carotte** moyenne non pelée
et coupée en 4

1/2 **poivron rouge** coupé en 2

1 gousse d'**ail**

450 g (1 lb) de **bœuf** haché
extra-maigre

250 ml (1 tasse) de **céréales** de
blé ou d'orge **pour bébé** avec lait
intégré (ou 125 ml / 1/2 tasse de
chapelure)

15 ml (1 c. à soupe) d'**herbes
de Provence** ou de fines herbes
séchées à l'italienne

Poivre du moulin

12 tranches minces de **prosciutto**

60 ml (1/4 tasse) de **pâte
de tomate**

60 ml (1/4 tasse) de **parmesan**
fraîchement râpé (30 g / 1 oz)

1. Placer la grille au centre du four et préchauffer
   le four à 200 ºC (400 ºF).
2. Hacher l'oignon, la courgette, la carotte, le poivron
   et l'ail au robot culinaire. Égoutter si nécessaire.
3. Dans un grand bol, mélanger les légumes hachés,
   le bœuf, les céréales, les herbes et poivrer
   généreusement.
4. Placer une tranche de prosciutto au fond de chaque
   trou d'un moule à muffins antiadhésif de façon à
   laisser dépasser les deux extrémités, pour faire un
   baluchon.
5. Répartir la préparation à base de viande sur chaque
   tranche de prosciutto. Étendre environ 5 ml (1 c. à thé)
   de pâte de tomate sur chaque portion et garnir
   d'environ 5 ml (1 c. à thé) de fromage.
6. Refermer le prosciutto sur la viande.
7. Cuire au four 30 minutes. Servir avec un légume
   vert et les pommes de terre musclées (page 80).
   Se conserve 3 jours au réfrigérateur ou 3 mois au
   congélateur.

VALEURS NUTRITIVES
(par portion)

257 Calories
Protéines : 29 g
Lipides : 10 g
Glucides : 12 g
Fibres : 2 g
Sodium : 474 mg

Astuce : N'ajoutez pas de sel à cette recette : le prosciutto et le parmesan sont déjà bien
salés. À l'épicerie, comparez les différentes marques de prosciutto et choisissez celui qui
contient le moins de sodium par portion.

Variante : Si vous n'êtes pas friands de prosciutto, omettez-le et remplacez la moitié
de la viande hachée par la chair de deux saucisses italiennes (sans le boyau). Mélangez
le bœuf et la saucisse à l'étape 3 et poursuivez la recette telle quelle. Vous pouvez aussi
préparer la recette dans un moule à pain et servir des tranches accompagnées d'une
sauce tomate maison ou du commerce.

Pommes de terre musclées

6 PORTIONS • PRÉPARATION : 15 min • CUISSON : 30 min • PRIX : 1,14 $ / portion

INGRÉDIENTS VEDETTES

pommes de terre à chair jaune

céleri-rave

fromage suisse

lait

lait en poudre

500 g (1 lb) de **pommes de terre** jaunes de type Yukon Gold (4 moyennes), pelées et coupées en gros cubes

1 gros **céleri-rave** pelé et coupé en gros cubes

250 ml (1 tasse) de **fromage suisse** râpé (environ 100 g / 3,5 oz)

125 ml (1/2 tasse) de **lait**

60 ml (1/4 tasse) de **lait en poudre** (facultatif)

30 ml (2 c. à soupe) de **ciboulette** fraîche ciselée ou 10 ml (2 c. à thé) d'herbes de Provence

Poivre du moulin et **sel**

1. Déposer les pommes de terre et le céleri-rave dans une grande casserole et couvrir d'eau. Porter à ébullition, couvrir et laisser mijoter à feu moyen de 25 à 30 minutes ou jusqu'à ce que le céleri-rave soit très tendre.
2. Égoutter les légumes et les réduire en purée à l'aide d'un pilon à pommes de terre.
3. Incorporer le fromage, le lait et le lait en poudre.
4. Ajouter la ciboulette, poivrer généreusement et ajouter une pincée de sel. Servir en accompagnement ou utiliser dans les recettes de petits pains au saucisson (voir page 190), de pâté chinois (voir page 176) ou de pâté au saumon (voir page 152).
Se conserve 3 jours au réfrigérateur ou 1 mois au congélateur.

VALEURS NUTRITIVES
(par portion)

143 Calories
Protéines : 6 g
Lipides : 4 g
Glucides : 21 g
Fibres : 3 g
Sodium : 104 mg

Astuce : Le lait en poudre n'est pas obligatoire dans cette recette, mais il permet d'ajouter, entre autres, une petite dose de protéines, de calcium et de vitamine D. Si vous êtes intolérants aux produits laitiers ou si vous n'avez pas de lait en poudre sous la main, ne vous empêchez surtout pas de préparer cette recette !

Variante : Vous pouvez remplacer le céleri-rave par de la patate douce, du panais, du chou-fleur ou du rutabaga. L'important est de bien réduire les légumes en purée pour qu'ils se marient parfaitement à la pomme de terre.

En cas d'allergie aux produits laitiers... Préparez la recette sans fromage et sans poudre de lait, et remplacez le lait par une boisson de soya nature.

Rubans de légumes

4 PORTIONS • PRÉPARATION : 10 min • CUISSON : 5 min • PRIX : 0,92 $ / portion

INGRÉDIENTS VEDETTES

carottes

panais

courgette jaune ou verte (zucchini)

sauce soya

vinaigre de riz

2 **carottes** moyennes pelées

2 **panais** moyens pelés

1 **courgette** jaune ou verte (zucchini)

4 grosses **asperges** ou 1 pied de brocoli pelé (la tige seulement)

5 ml (1 c. à thé) d'**huile végétale**

7,5 ml (1/2 c. à soupe) de **sauce soya**

7,5 ml (1/2 c. à soupe) de **vinaigre de riz**

Poivre du moulin et **sel**

1. À l'aide d'un économe (éplucheur à légumes), former des rubans en pelant chaque légume dans le sens de la longueur. Pour la courgette, arrêter avant d'atteindre le cœur. Mélanger délicatement les rubans.
2. Dans un grand poêlon antiadhésif, étendre l'huile uniformément à l'aide d'un pinceau de cuisine. Ajouter les rubans de légumes et cuire à feu vif en remuant souvent, de 5 à 7 minutes ou jusqu'à ce que les légumes soient légèrement dorés.
3. Retirer du feu, ajouter la sauce soya et le vinaigre de riz. Poivrer généreusement et ajouter une pincée de sel. Mélanger et servir.
Les rubans se conservent 3 jours au réfrigérateur et ne se congèlent pas.

VALEURS NUTRITIVES
(par portion)

60 Calories
Protéines : 2 g
Lipides : 1 g
Glucides : 12 g
Fibres : 4 g
Sodium : 169 mg

Astuce : Le simple fait de changer la façon de couper les légumes peut faire toute la différence auprès des enfants. Les rubans sont si délicats qu'ils fondent dans la bouche. Et pourquoi ne pas permettre à votre marmaille de manger avec les doigts... pour une fois ? !

Variante : On trouve dans les boutiques de cuisine de petits appareils permettant de faire des « spaghettis » de légumes. Voilà une autre façon originale de présenter les légumes à vos enfants !

Burgers surprises

4 PORTIONS • PRÉPARATION : 15 min • CUISSON : 25 min • PRIX : 1,44 $ / burger

INGRÉDIENTS VEDETTES

carotte

poivron

champignons

chapelure

fromage

1 **carotte** non pelée et coupée en gros morceaux

1/2 **oignon rouge** coupé en 2

1/2 **poivron rouge** coupé en 2

6 **champignons** blancs

340 g (3/4 lb) de **bœuf haché** extra-maigre

125 ml (1/2 tasse) de **chapelure** de blé entier à l'italienne

Poivre du moulin

45 g (1,5 oz) de **fromage Monterey Jack** coupé en 8 petits cubes

8 **petits pains ronds**

GARNITURE

1 ou 2 **tomates italiennes**

Feuilles de **laitue**

Condiments au goût (moutarde, ketchup, mayonnaise...) ou **sauce tzatziki** maison (voir page 46)

1. Au robot culinaire, hacher la carotte, l'oignon, le poivron et les champignons. Transvider les légumes hachés dans un poêlon antiadhésif et cuire à feu moyen-vif pendant 10 minutes pour que l'eau s'évapore des légumes. Remuer à quelques reprises. Laisser tiédir.
2. Pendant ce temps, dans un grand bol, mélanger le bœuf haché et la chapelure, puis poivrer généreusement. Incorporer les légumes cuits et diviser la préparation en 8 galettes.
3. Placer un cube de fromage au centre de chaque galette, enfoncer et bien refermer pour éviter que le fromage ne s'échappe en fondant.
4. Dans le poêlon utilisé à l'étape 2, cuire les galettes à feu moyen-doux de 7 à 8 minutes de chaque côté. Manipuler délicatement et éviter de tourner plusieurs fois.
5. Préchauffer le gril du four (*broil*). Pendant la cuisson des galettes, couper les pains sur l'épaisseur, les ouvrir en deux et les cuire sous le gril de 3 à 4 minutes jusqu'à ce qu'ils soient dorés.
6. Assembler les burgers en plaçant une galette au milieu de chaque pain. Garnir de tomate, de laitue et de condiments. Les galettes se conservent 3 jours au réfrigérateur ou 3 mois au congélateur. Dans le cas de galettes congelées, déposer directement dans un four préchauffé à 180 ºC (350 ºF), cuire 15 minutes, assembler en burger et servir. Se réchauffe également au four à micro-ondes.

Astuces : Enrichir les galettes avec des légumes hachés réduit la facture d'épicerie, mais permet aussi d'ajouter plus de légumes au repas. Et c'est parfait pour les petits becs fins qui boudent les légumes. Économisez du temps en doublant la préparation de viande de cette recette. Elle se transforme si bien en boulettes futées (voir page 86) !

Variante : Profitez de cette recette pour passer les légumes un peu flétris et variez la recette selon ce que vous avez dans le frigo. Patate douce, courgette, oignon vert conviennent très bien. Vous pouvez cuire ces burgers sur le BBQ, mais attention : ces galettes de légumes sont plus fragiles que celles faites de viande à 100 %. À manipuler avec soin !

En cas d'allergie aux produits laitiers... Omettez le fromage et utilisez une chapelure sans produits laitiers. Mieux encore, faites-la vous-même à partir de pain séché.

VALEUR NUTRITIVE
(par burger)

224 calories
Protéines : 15 g
Lipides : 8 g
Glucides : 23 g
Fibres : 2 g
Sodium : 309 mg

Boulettes futées

4 PORTIONS DE 8 BOULETTES · PRÉPARATION : 15 min · CUISSON : 25 min · PRIX : 2,92 $ / portion

INGRÉDIENTS VEDETTES

carotte

poivron rouge

bœuf haché

chapelure de blé entier

sauce tomate

1 **carotte** non pelée et coupée en 4

1/2 **oignon rouge** coupé en 2

1/2 **poivron rouge** coupé en 2

6 **champignons** blancs

340 g (3/4 lb) de **bœuf haché** extra-maigre

125 ml (1/2 tasse) de **chapelure** de blé entier à l'italienne

Poivre du moulin

90 g (3 oz) de **fromage Monterey Jack** coupé en 32 cubes

750 ml (3 tasses) de **sauce tomate** maison ou du commerce

Parmesan fraîchement râpé (au goût)

1. Placer la grille au centre du four et préchauffer le four à 180 ºC (350 ºF).
2. Au robot culinaire, hacher la carotte, l'oignon, le poivron et les champignons. Transvider les légumes hachés dans un poêlon antiadhésif et cuire à feu moyen-vif pendant 10 minutes pour que l'eau s'évapore des légumes. Remuer à quelques reprises. Laisser tiédir.
3. Pendant ce temps, dans un grand bol, mélanger le bœuf haché, la chapelure et poivrer généreusement. Incorporer les légumes cuits. Diviser la préparation de viande en 32 boulettes.
4. Placer un cube de fromage au centre de chaque boulette, enfoncer et bien refermer pour éviter que le fromage ne s'échappe en fondant.
5. Dans le poêlon utilisé à l'étape 2, cuire les boulettes à feu moyen-doux 5 minutes en les retournant de temps en temps et terminer la cuisson au four 10 minutes. Procéder par étape selon la capacité du poêlon et manipuler délicatement les boulettes pour éviter de les briser.
6. Pendant la cuisson des boulettes, réchauffer la sauce tomate dans une petite casserole. Servir les boulettes sur un lit de sauce tomate et garnir de parmesan. Les boulettes se conservent 3 jours au réfrigérateur ou 3 mois au congélateur. Dans le cas de boulettes congelées, déposer directement dans un four préchauffé à 180 ºC (350 ºF) et cuire 15 minutes. Se réchauffe également au four à micro-ondes.

Astuce : Préparez cette recette en grande quantité et congelez-la. Congelez d'abord les boulettes sur une plaque de cuisson avant de les ranger dans un contenant ou un sac hermétique. C'est toujours pratique d'avoir des petites boulettes futées pour se dépanner lorsqu'on ne sait plus quoi faire pour le souper. Ces boulettes se servent aussi à l'apéro avec des cure-dents ou comme tapas pour un souper composé de plusieurs petites bouchées.

Variante : Vous pouvez intégrer ces boulettes dans votre sauce à spaghetti pour un repas à la fois nourrissant et réconfortant.

En cas d'allergie aux produits laitiers... N'ajoutez pas de fromage au centre des boulettes et utilisez une chapelure sans produits laitiers. Mieux encore, faites-la vous-même à partir de pain séché.

VALEURS NUTRITIVES
(par portion)

441 Calories
Protéines : 28 g
Lipides : 15 g
Glucides : 32 g
Fibres : 5 g
Sodium : 484 mg

Muffins aux légumes

12 GROS MUFFINS (OU 15 MOYENS) • PRÉPARATION : 20 min • CUISSON : 30 min • PRIX : 0,48 $ / portion

INGRÉDIENTS VEDETTES

carottes

patate douce

courge Butternut

farine de blé entier

cassonade

2 **carottes** moyennes non pelées et coupées en 4 (environ 200 g)

1/2 **patate douce** moyenne pelée et coupée en cubes (environ 200 g)

1/2 petite courge **Butternut** pelée et coupée en cubes (environ 200 g)

750 ml (3 tasses) de **farine** de blé entier

15 ml (1 c. à soupe) de **poudre à pâte**

15 ml (1 c. à soupe) de **cannelle** moulue

5 ml (1 c. à thé) de **bicarbonate de soude**

2,5 ml (1/2 c. à thé) de **muscade** moulue

2,5 ml (1/2 c. à thé) de **gingembre** moulu

250 ml (1 tasse) de **cassonade** légèrement tassée

250 ml (1 tasse) de **compote de pommes** non sucrée

125 ml (1/2 tasse) d'**huile de canola**

2 **œufs**

10 ml (2 c. à thé) de **vanille**

1. Placer la grille au centre du four et préchauffer le four à 180 °C (350 °F).
2. Au robot culinaire, hacher très finement les carottes, la patate douce et la courge pour obtenir 750 ml (3 tasses) de légumes.
3. Dans un grand bol, mélanger la farine, la poudre à pâte, la cannelle, le bicarbonate de soude, la muscade et le gingembre.
4. Dans un autre bol, mélanger avec une cuillère de bois les légumes, la cassonade, la compote de pommes, l'huile, les œufs et la vanille.
5. Transvider les ingrédients secs dans les ingrédients liquides et mélanger pour humecter.
6. Répartir la pâte dans des moules à muffins huilés ou recouverts de moules en papier.
7. Cuire au four de 30 à 40 minutes ou jusqu'à ce qu'un cure-dent inséré dans un muffin en ressorte propre.
8. Laisser refroidir à la température ambiante, puis transférer dans un contenant hermétique. Se conservent 5 jours au réfrigérateur ou 2 mois au congélateur.

Astuce : Pourquoi ne pas faire des mini-muffins? Le temps de cuisson sera de 12 à 15 minutes. Profitez-en pour doubler la recette et pour congeler les muffins emballés en portions individuelles. Ce sera parfait pour le petit-déjeuner, la collation, le dessert... alouette!

Variante : N'attendez pas d'avoir ces trois légumes vedettes sous la main pour faire cette recette. L'important est d'avoir une quantité totale de 750 ml (3 tasses) de légumes hachés (courge, patate douce ou carotte). Alors, si vous n'avez que des carottes dans le frigo, vous pouvez quand même préparer ces muffins nourrissants.

En cas d'allergie aux œufs... Vous pouvez préparer la recette sans œufs, sans modifier les autres ingrédients. Nous l'avons testé et c'est tout aussi réussi!

VALEURS NUTRITIVES
(par portion)

252 Calories
Protéines : 5 g
Lipides : 8 g
Glucides : 42 g
Fibres : 4 g
Sodium : 202 mg

VÉGÉ SANS GRIMACER

Vos enfants se sauvent en courant lorsqu'ils voient des pois chiches ou du tofu dans leur assiette ? Vous souhaitez manger végé de temps en temps, mais vous ne savez pas par où commencer ? Suivez-nous, on vous fait la promesse que ce ne sera ni grano, ni plate, ni en carton ! Vous ne vous ennuierez même pas de votre plat de viande. Vous voulez parier ?

Le point de vue d'Alexandra

À la maison, végé ne fait pas partie de notre vocabulaire. On ne nomme pas ainsi les repas sans viande. Tout simplement parce qu'ils ont toujours eu leur place à table. Il n'a pas fallu les intégrer. La notion de végé existe différemment dans notre alimentation.

Au Chili, où je suis née, les légumineuses, par exemple, sont extrêmement populaires. Même mes oncles et mes cousins, carnivores au possible, raffolent de plats dits végétariens. Les ragoûts de lentilles de ma mère et ses salades de pois chiches m'ont valu plein de nouveaux amis quand j'étais plus jeune. Ma mère a toujours cuisiné naturellement santé, selon les bases du végétarisme, sans le pratiquer à 100 %. Jamais elle ne nous a servi de repas congelés, de soupes en sachet ou de *junk food* (contrairement à moi avec mes enfants). Pas de boissons gazeuses ni de cochonneries (sauf aux fêtes). Ma mère faisait sa propre crème Budwig (et bien meilleure que la populaire), il y avait des journées sans viande (bien avant le mouvement), elle cuisinait «full végé» avant la mode ou la nécessité. C'était naturel et on n'en a jamais parlé comme un sujet en tant que tel.

De plus, j'adore depuis longtemps faire des pèlerinages de restaurants végé avec ma copine Tamar. J'admire l'évolution de ce mouvement gastronomique au Québec. L'image d'un plat végé qui goûte le carton disparaît peu à peu pour faire place à l'idée que végé peut désormais être un régal.

À la maison, nous ne sommes pas végétariens, mais nous mangeons naturellement peu de viande et souvent pas du tout. Mes enfants ne font pas la différence entre un plat sans viande ou avec. Ça va de soi pour eux. Mais c'est surtout très bon et souvent meilleur pour la santé !

Le point de vue de Geneviève

Je suis la première à fuir lorsque je trouve une recette trop grano. Si ça goûte le carton, je décroche. Si le côté santé l'emporte sur le plaisir, je boude. Je n'ai pas grandi avec des légumineuses et du tofu dans mon assiette... Et aujourd'hui encore, je me méfie si un plat a l'air un peu trop santé...

Alex est beaucoup plus grano que moi. C'est elle qui m'apporte des plats végétaliens, crus et germés lorsqu'on se fait des réunions à l'heure du lunch. C'est elle qui va dans les restos bio et vivants.

Oui, j'ai quelques préjugés à propos du végé, mais je ne suis quand même pas contre la vertu! Manger moins de viande est d'une logique implacable. Réduire sa consommation de bœuf, de porc ou de poulet au profit des légumineuses et du tofu, c'est meilleur pour notre santé, pour la santé de notre planète et aussi pour celle de notre portefeuille.

C'est donc en ayant tous ces arguments béton en tête que je me suis retroussé les manches et que je me suis mise à introduire plus de protéines végétales dans mon menu. D'abord, en les cachant à gauche et à droite. Ensuite, en les combinant avec de la viande et, finalement, j'ai réussi à les apprécier sans déguisement. Étape par étape, j'ai trouvé mon plaisir.

Mon modus operandi: un plat végé ne doit jamais être moins appétissant qu'un plat à base de viande. Lorsque je cuisine végé, je redouble d'efforts pour que le goût dépasse les attentes. Je veux surmonter les préjugés, parce que tous les préjugés que vous pouvez avoir face au végé, je les ai eus aussi.

Si on décide de **ne plus consommer de viande**, il faut absolument la remplacer par une autre source de protéines. Si on ne fait que bannir la viande sans la remplacer, on s'expose à des carences alimentaires.

François Hamelin,
juge, papa de Pierre-Marc (35 ans), de Marie-Noëlle (33 ans) et de Justine (30 ans)

« Quand les enfants ne mangeaient pas, je ne les forçais pas. Il ne faut pas réagir avec des attitudes fermes et rigides, comme si les enfants étaient des adultes. Ils sont en croissance, en processus de changement, en formation. Ils peuvent ne pas manger pour toutes sortes de raisons. »

Voici des exemples d'aliments riches en protéines pouvant remplacer une portion de 75 g (2,5 oz) de viande cuite ou 90 g (3 oz) de viande crue :

- 175 ml (3/4 tasse) de légumineuses cuites
- 150 g (5 oz) de tofu
- 2 œufs
- 30 ml (2 c. à soupe) de beurre d'arachides ou de noix
- 60 ml (1/4 tasse) de noix ou de graines écalées

TOFU POUR DÉBUTANTS

Ajoutez le **tofu mou** à vos smoothies. Le **tofu ferme**, quant à lui, se mélange à la ricotta dans les lasagnes et le **tofu extra-ferme** est délicieux dans la sauce à spaghetti. Faites des essais!

ÉTAPE PAR ÉTAPE

Un repas complètement végé peut être désarçonnant lorsqu'on a l'habitude de voir de la viande dans son assiette. Commencez par ajouter des légumineuses à des recettes que votre famille aime et optez pour des recettes moitié-moitié, comme un chili avec bœuf haché et haricots rouges, ou un burger de poulet haché et de haricots blancs pilés. Un peu de haricots rouges dans une soupe aux légumes la transformera en minestrone!

5 trucs pour apprivoiser les repas végétariens en douceur :

- Diminuez la grosseur de vos portions de viande.
- Choisissez des coupes plus maigres.
- Diminuez votre consommation de viande rouge au profit de la volaille et du poisson.
- Alternez entre les repas de viande et les repas sans viande.
- Laissez-vous tenter par la cuisine indienne et asiatique; on y propose plusieurs plats savoureux à base de soya ou de légumineuses.

ALLEZ-Y MOLLO !

Pour apprivoiser les légumineuses, débutez par de petites quantités et augmentez la dose au fil des semaines. Accordez-vous du temps et n'abandonnez pas. Ça peut prendre plusieurs tentatives avant que la légumineuse passe au conseil de famille. Ne baissez pas les bras après un seul refus.

NE CRAIGNEZ PLUS LES LÉGUMINEUSES

Rincez bien les légumineuses en conserve. Vous éliminerez ainsi la couche gélatineuse qui les recouvre et qui est à l'origine des crampes et des ballonnements. Vous n'avez qu'à verser les légumineuses dans une passoire, à les rincer, à les égoutter et à les ajouter à votre recette.

Au Québec, il y a plus de **130 restaurants** exclusivement végétariens. Voilà une bonne façon de s'initier en famille aux repas sans viande[5,6].

Claudette Taillefer,
maman de Pierre-André (51 ans), de Marie-Josée (50 ans) et de Carl (47 ans) et grand-maman!

« J'ai toujours dit à mes enfants : "Je ne t'oblige pas à manger, mais prouve-moi que t'es au moins capable de goûter." Si ça ne passe pas, ce n'est pas grave. Les enfants ont le droit de ne pas tout aimer. »

✤ L'AVIS DE LA PRO ✤

Docteure Christiane Laberge,
spécialiste en médecine familiale et chroniqueuse santé

« Manger végé est un défi formidable. Mais mieux vaut un apprentissage à petits pas. Je pense au mouvement des lundis sans viande, par exemple. Avec les enfants, on peut essayer de manger végé une fois par semaine pour s'amuser. Tranquillement, ça deviendra un rendez-vous qu'ils attendront. »

Jonathan Painchaud,
auteur-compositeur-interprète, papa de Téa (4 ans)

« Lorsque ma fille boude un plat, je lui dis : "C'est normal que tu n'aimes pas ça, c'est un repas de grands..." Ça pique son orgueil et elle dévore son assiette ! »

PARENTS FUTÉS

« Je râpe le tofu et je le mélange au fromage râpé !!! Que du feu !!! »

DOMINIQUE GOSSELIN, MAMAN DE FRÉDÉRIQUE (12 ANS), DE JUSTIN (9 ANS), DE CHARLIE (7 ANS) ET DE GABRIEL (2 ANS)

« Je suis végétarien et je mets du tofu et des légumineuses partout. Mon truc avec les enfants, c'est de les laisser pleurer un peu... Désolé ! Ça finit par passer et ils mangent. Ensuite, ils sont fiers. »

MARTIN BEAUDET, PAPA DE MEGAN (9 ANS), D'ÉLIOTT (2 ANS) ET DE MARYLOU (1 AN)

« Un bon truc pour les récalcitrants, c'est de remplacer progressivement (25 %, 50 %, 75 %, 100 %) la viande dans une recette connue et aimée par du tofu ou des légumineuses. »

ANNIE PRÉVOST, MAMAN DE MATHILDE (3 ANS) ET DE SIMONE (1 AN)

LA CURIOSITÉ VUE PAR...

Rafaële Germain,
écrivaine, maman d'Élisabeth (18 mois) et belle-maman de Marguerite (13 ans) et de Gilbert (10 ans)

« Mon père disait : "La curiosité n'est pas un vilain défaut comme le dit la comtesse de Ségur. C'est l'une des choses les plus merveilleuses du monde." »

Josée Boudreault,
animatrice, maman de Chloé (12 ans), d'Annabelle (5 ans) et de Flavie (3 ans)

« Comme je mets peu de nourriture dans les assiettes, mes filles ont l'impression de les vider comme des grandes. Et j'aime ça, redonner de la nourriture. C'est valorisant pour moi ! »

Sébastien Benoit,
animateur et papa de Laurent (7 mois)

« Mes parents ont toujours dit : "C'est important d'être curieux et de ne pas se mettre des ornières." Au collège Marie de France, où j'ai étudié, il y avait énormément d'immigrants. J'ai grandi entouré d'amis yougoslaves, tunisiens... Ça m'a ouvert aux différentes cultures et au respect des gens. »

Sophie Banford,
éditrice de magazine, maman de Philippe (8 ans) et de Patrick (1 an)

« Je suis contente de voir que mon plus vieux est un enfant curieux. Quand tu es curieux, tu ne t'ennuies jamais. »

Gilles Barbot,
athlète et chef d'entreprise, papa de Louis (12 ans), de Vianney (9 ans), de Nina (2 ans) et de bébé Malo

« À la maison, on stimule le muscle du rêve. À la ligne d'arrivée, qu'on ait réussi ou pas, on va toujours en sortir grandi. »

Wrap « presque végé » au poulet et aux tomates séchées

6 PORTIONS • PRÉPARATION : 20 min • CUISSON : aucune • PRIX : 2,60 $ / portion

INGRÉDIENTS VEDETTES

haricots blancs cuits

poulet cuit

poivrons rouges marinés

tomates séchées

yogourt nature

1 boîte de 540 ml (19 oz) de **haricots blancs** rincés et égouttés

1 poitrine de **poulet cuit** d'environ 200 g (7 oz) coupée en gros morceaux

1 gousse d'**ail** entière (facultatif)

80 ml (1/3 tasse) de **poivrons rouges marinés** et égouttés

80 ml (1/3 tasse) de **tomates séchées** conservées dans l'huile et égouttées

80 ml (1/3 tasse) de **yogourt nature**

Une dizaine de feuilles de **basilic frais**

Poivre du moulin et **sel**

4 grandes **tortillas** de blé entier

1/2 **poivron jaune** en julienne

1/2 **concombre** moyen en bâtonnets

100 g (3,5 oz) de jeunes **pousses de pois mange-tout** ou de pousses de brocoli

Corde de boucherie pour nouer les wraps (facultatif)

1. Au robot culinaire, réduire les haricots blancs et le poulet en purée. Racler le contenant à l'aide d'une spatule de caoutchouc et mélanger de nouveau.
2. Ajouter l'ail, les poivrons, les tomates séchées, le yogourt, le basilic et poivrer généreusement. Goûter et ajouter une pincée de sel si désiré. Mixer de nouveau pour obtenir une purée lisse et onctueuse.
3. Tartiner les tortillas de purée en laissant environ 1 cm (3/8 po) libre sur le pourtour de chaque tortilla.
4. Garnir le centre des tortillas de poivron, de concombre et de pousses.
5. Rouler chaque tortilla en pressant fermement pour que la tartinade au poulet y adhère bien. Couper les tortillas en deux, en biseau. Si désiré, ficeler pour permettre aux wraps de tenir.
   La tartinade se conserve 3 jours au réfrigérateur et ne se congèle pas. Assembler les wraps au moment de servir.

VALEURS NUTRITIVES
(par portion)

384 Calories
Protéines : 31 g
Lipides : 6 g
Glucides : 53 g
Fibres : 9 g
Sodium : 388 mg

Astuce : En pique-nique ou en camping, transportez la tartinade, les tortillas et les légumes séparément et assemblez les wraps à la dernière minute.

Variante : À l'apéro, vous pouvez servir cette tartinade sur des croûtons de pain baguette. Petits et grands adoreront déguster ces petites bouchées après une journée passée à jouer dehors.

Salade de quinoa, pomme et gouda

4 PORTIONS • PRÉPARATION : 15 min • CUISSON : 20 min • PRIX : 1,55 $ / portion

INGRÉDIENTS VEDETTES

quinoa

sirop d'érable

moutarde de Meaux ou à l'ancienne

pomme rouge

fromage gouda

250 ml (1 tasse) de **quinoa** blanc ou rouge

250 ml (1 tasse) de **jus de pomme**

180 ml (3/4 tasse) d'**eau**

30 ml (2 c. à soupe) de **vinaigre de cidre**

30 ml (2 c. à soupe) de **sirop d'érable**

15 ml (1 c. à soupe) de **moutarde de Meaux** ou de moutarde à l'ancienne

Poivre du moulin et **sel**

60 ml (1/4 tasse) d'**huile d'olive**

1 **pomme rouge** avec la pelure

1 branche de **céleri**

125 ml (1/2 tasse) de **fromage gouda** (50 g / 2 oz)

2 **oignons verts** hachés grossièrement (parties blanche et verte)

1. Déposer le quinoa dans un tamis et le rincer sous l'eau froide. Égoutter.
2. Dans une casserole moyenne, mélanger le quinoa, le jus de pomme et l'eau. Porter à ébullition à feu vif. Lorsque la préparation bout à gros bouillons, réduire à feu moyen-doux, couvrir et calculer 10 minutes. Retirer du feu, conserver le couvercle et laisser reposer 5 minutes.
3. Retirer le couvercle et laisser refroidir.
4. Pendant ce temps, dans un grand bol, mélanger le vinaigre, le sirop d'érable et la moutarde. Poivrer généreusement et ajouter une pincée de sel.
5. Verser l'huile en un mince filet en fouettant vigoureusement pour créer une émulsion.
6. Couper la pomme, le céleri et le fromage en petits dés de la même grosseur.
7. Ajouter les dés de pomme dans la vinaigrette et mélanger pour bien enrober. Incorporer le quinoa, le céleri, le fromage et les oignons verts, puis mélanger et servir.

Se conserve 3 jours au réfrigérateur et ne se congèle pas.

VALEURS NUTRITIVES
(par portion)

343 Calories
Protéines : 8 g
Lipides : 13 g
Glucides : 43 g
Fibres : 4 g
Sodium : 205 mg

Astuce : En ajoutant la pomme en premier dans la vinaigrette, vous prévenez son brunissement. La pomme Cortland est parfaite pour cette salade puisqu'elle demeure bien blanche et croquante, même si la recette est préparée 24 heures à l'avance.

Variante : Pour transformer cette salade en repas complet, ajoutez-lui du poulet grillé coupé en cubes ou des noix de Grenoble hachées. Sinon, servez-la en accompagnement d'une viande grillée.

Tofu-burger

4 PORTIONS • PRÉPARATION : 15 min • CUISSON : 15 min • PRIX : 1,81 $ / portion

INGRÉDIENTS VEDETTES

oignon rouge

tofu extra-ferme

moutarde à
l'ancienne et de Dijon

sauce anglaise
(Worcestershire)

gros pains à
hamburger

10 ml (2 c. à thé) d'**huile d'olive**
divisée en 2

1 petit **oignon rouge** haché finement

3 ou 4 **champignons blancs**
hachés finement

350 g (3/4 lb) de **tofu extra-ferme**

125 ml (1/2 tasse) de **chapelure
de blé entier** à l'italienne

60 ml (1/4 tasse) de **ciboulette** ciselée

30 ml (2 c. à soupe) de
moutarde de Meaux ou de
moutarde à l'ancienne

15 ml (1 c. à soupe) de
moutarde de Dijon

15 ml (1 c. à soupe) de **sauce anglaise**
(de type Worcestershire)

Poivre du moulin et **sel**

4 gros **pains à hamburger**

GARNITURE
Laitue

Tomates en tranches

Condiments au goût (moutarde,
ketchup, mayonnaise...) ou sauce
tzatziki maison (voir page 46)

1. Verser 5 ml (1 c. à thé) d'huile dans un poêlon antiadhésif et la répartir à l'aide d'un pinceau de cuisine. Conserver le reste de l'huile pour la cuisson des galettes. Ajouter l'oignon et les champignons, et cuire à feu moyen-vif de 5 à 7 minutes. Éviter de trop remuer pour permettre aux légumes de bien dorer. Retirer du feu.

2. Pendant ce temps, éponger le tofu avec du papier absorbant (essuie-tout). Dans un grand bol, égrainer le tofu avec les doigts pour obtenir des morceaux de la taille d'un grain de riz (voir astuce).

3. Ajouter la chapelure, la ciboulette, les moutardes et la sauce anglaise. Poivrer généreusement et ajouter une pincée de sel. Incorporer l'oignon et les champignons, bien mélanger et former 4 galettes.

4. Badigeonner le reste de l'huile dans le même poêlon. Déposer les galettes et cuire à feu moyen-vif 5 minutes de chaque côté ou jusqu'à ce que les galettes soient dorées.

5. Entre-temps, préchauffer le gril (*broil*) du four. Ouvrir les pains, les déposer sur une plaque de cuisson (l'intérieur vers le haut) et dorer au four de 2 à 3 minutes. Surveiller pour éviter que les pains ne brûlent.

6. Assembler et garnir les burgers.
Les galettes se conservent 4 jours au réfrigérateur ou 2 mois au congélateur. Garnir les burgers au moment de servir.

VALEURS NUTRITIVES
(par portion)

283 Calories
Protéines : 20 g
Lipides : 12 g
Glucides : 36 g
Fibres : 3 g
Sodium : 523 mg

Astuce : Prenez le temps de bien égrainer le tofu pour que sa texture ressemble à de la viande hachée. N'essayez pas de prendre un raccourci en utilisant le robot culinaire. Une purée trop lisse ne donnera pas le résultat souhaité.

Variante : La sauce anglaise et les moutardes donnent beaucoup de goût à ces burgers. Vous pouvez aussi ajouter un trait de sauce piquante (de type Tabasco) pour les rehausser encore plus. Qui a dit que le tofu était ennuyant ?

Trempette trippante et croustilles santé

4 PORTIONS • PRÉPARATION : 20 min • CUISSON : 8 min • PRIX : 1,45 $ / portion

INGRÉDIENTS VEDETTES

tofu soyeux mou

œuf

moutarde de Dijon

huile

pains pitas

TREMPETTE

350 g (12 oz) de **tofu soyeux** mou (de type Mori-Nu)

1 **jaune d'œuf**

15 ml (1 c. à soupe) de **moutarde de Dijon**

1 **citron** pressé

5 ml (1 c. à thé) de **cari** en poudre

5 ml (1 c. à thé) de **gingembre** frais râpé

2,5 ml (1/2 c. à thé) de **curcuma** moulu

Poivre du moulin et **sel**

60 ml (1/4 tasse) d'**huile végétale**

CROUSTILLES

12 **pains pitas** miniatures

30 ml (2 c. à soupe) d'**huile d'olive**

Épices cajuns

Poivre du moulin et **sel**

TREMPETTE

1. Au robot culinaire, mixer tous les ingrédients, sauf l'huile. Racler le contenant à l'aide d'une spatule de caoutchouc et mélanger de nouveau.
2. Toujours en mixant, verser l'huile en un mince filet par l'ouverture du couvercle du robot pour créer une émulsion.
3. Transvider dans un bol, assaisonner au goût, mélanger et servir avec des crudités ou des croustilles santé. La trempette se conserve 2 jours au réfrigérateur et ne se congèle pas.

CROUSTILLES

1. Placer la grille au centre du four et préchauffer le four à 200 ºC (400 ºF).
2. À l'aide d'un ciseau, séparer les pains pitas en deux sur le sens de l'épaisseur. Répartir les pitas, l'extérieur vers le haut, sur deux plaques de cuisson.
3. Badigeonner d'huile et saupoudrer d'épices cajuns. Poivrer généreusement et ajouter une pincée de sel.
4. Cuire au four de 7 à 8 minutes ou jusqu'à ce que les pitas soient dorés. Surveiller les pains en fin de cuisson. Les croustilles se conservent 1 semaine dans un plat hermétique et ne se congèlent pas.

Astuce : Votre famille lève le nez sur le tofu ? Apprenez à bien « vendre » cette recette. Ne dites pas d'entrée de jeu que c'est une « trempette au tofu ». Le tofu n'est qu'un ingrédient parmi tant d'autres. Nommez-vous toujours tous les ingrédients de vos recettes ? Dites-vous : « Voici des muffins à la farine », « Voici une mayo aux œufs » ? Bien sûr que non ! Cette fois, dites plutôt : « Voici une trempette au cari », et laissez les papilles de votre famille décider du reste.

Variante : Vous pouvez remplacer le cari, le gingembre et le curcuma par d'autres épices, à votre goût. Pour une version mexicaine, ajoutez 15 ml (1 c. à soupe) de coriandre fraîche et 1 gousse d'ail hachées finement, ainsi qu'un peu de purée de piment chipotle (de type Tabasco Chipotle).

En cas d'allergie aux œufs... Faites la recette sans œuf, tout simplement. Nous l'avons testée et elle est à peine moins crémeuse. Vous ne verrez pas la différence !

VALEURS NUTRITIVES
(par portion)

330 Calories
Protéines : 9 g
Lipides : 25 g
Glucides : 18 g
Fibres : 1 g
Sodium : 251 mg

Quesadillas rapido

6 PORTIONS • PRÉPARATION : 15 min • CUISSON : 20 min • PRIX : 1,39 $ / portion

INGRÉDIENTS VEDETTES

haricots blancs cuits

maïs surgelé

cheddar

salsa mexicaine

tortillas de blé entier

1 boîte de 540 ml (19 oz) de **haricots blancs** rincés et égouttés

125 ml (1/2 tasse) de **maïs** surgelé

125 ml (1/2 tasse) de **cheddar** râpé (environ 50 g / 1,75 oz)

125 ml (1/2 tasse) de **salsa** maison ou du commerce

1/2 **poivron rouge** en petits dés

60 ml (1/4 tasse) de **coriandre fraîche** hachée finement ou de toute autre herbe fraîche

8 grandes **tortillas** de blé entier

5 ml (1 c. à thé) d'**huile végétale**

POUR LE SERVICE

150 ml (2/3 tasse) de **salsa** maison ou du commerce

150 ml (2/3 tasse) de **crème sure** à 5 % m.g.

1. Placer la grille au centre du four et préchauffer le four à 200 ºC (400 ºF).
2. Dans un grand bol, écraser les haricots à l'aide d'un pilon à pommes de terre.
3. Ajouter le maïs, le fromage, la salsa, le poivron et la coriandre, puis mélanger.
4. Placer 4 tortillas sur 2 plaques de cuisson recouvertes de papier parchemin.
5. Répartir la garniture aux haricots sur les tortillas. Laisser environ 1 cm (3/8 po) libre sur le pourtour de chaque tortilla.
6. Refermer avec les 4 autres tortillas. Presser pour bien sceller. Badigeonner d'huile.
7. Cuire au four 20 minutes ou jusqu'à ce que le dessus des quesadillas soit doré.
8. Laisser reposer 5 minutes avant de trancher chaque quesadilla en 6 pointes. Déposer les pointes de quesadilla dans une assiette de service et placer au centre de la table. Calculer 4 pointes par personne. Garnir de crème sure et de salsa si désiré, et servir immédiatement.
Cette recette ne se conserve pas bien, ni au réfrigérateur ni au congélateur. Toutefois, elle est si rapide et si simple à préparer que vous pourrez la réaliser en un tournemain. Parfait pour les soirées pressées !

VALEURS NUTRITIVES
(par portion)

335 Calories
Protéines : 15 g
Lipides : 8 g
Glucides : 50 g
Fibres : 8 g
Sodium : 342 mg

Astuce : Cette recette se multiplie facilement. Elle est parfaite pour les fêtes d'enfants et les soirées pas compliquées entre amis. Préparez les quesadillas en grande quantité, elles s'envoleront rapidement !

Variante : Vous pouvez remplacer les haricots blancs par un reste de poulet cuit, des crevettes nordiques ou du thon en conserve. Toutefois, l'ajout de haricots blancs est une façon simple et accessible d'intégrer les légumineuses au menu de la famille.

Chili ensoleillé

6 PORTIONS • PRÉPARATION : 5 min • CUISSON : 20 min • PRIX : 1,66 $ / portion

INGRÉDIENTS VEDETTES

carotte

poivron rouge

lentilles cuites

tomates en conserve

cheddar orange

1/2 **oignon jaune** coupé en 4

1 **courgette verte** (zucchini) coupée en 4

1 branche de **céleri** coupée en 4

1 **carotte** moyenne non pelée et coupée en 4

1 **poivron rouge** coupé en 4

1 boîte de 540 ml (19 oz) de **lentilles** rincées et égouttées

1 boîte de 796 ml (28 oz) de **tomates broyées**

10 ml (2 c. à thé) d'**herbes de Provence** ou de fines herbes séchées à l'italienne

10 ml (2 c. à thé) de **paprika fumé** doux ou piquant

10 ml (2 c. à thé) de **poudre de chili** mexicain

10 ml (2 c. à thé) de **cumin** moulu

250 ml (1 tasse) de **cheddar** orange râpé (environ 100 g / 3,5 oz)

Nachos cuits au four ou pointes de tortillas (voir page 70)

1. Hacher l'oignon, la courgette, le céleri, la carotte et le poivron au robot culinaire. Transvider dans un poêlon antiadhésif, ajouter les lentilles, les tomates, les herbes et les épices, puis mélanger.
2. Porter à ébullition, réduire à feu moyen-doux et laisser mijoter 20 minutes.
3. Pour servir, garnir chaque portion de fromage râpé et piquer des nachos autour du bol, la pointe vers l'extérieur, pour former des rayons de soleil.
   Le chili se conserve 4 jours au réfrigérateur ou 3 mois au congélateur. Ajouter le fromage et les nachos au moment de servir.

VALEURS NUTRITIVES
(par portion)

213 Calories
Protéines : 13 g
Lipides : 6 g
Glucides : 30 g
Fibres : 10 g
Sodium : 307 mg

Astuce : Pas d'ustensiles ce soir, on se sert des nachos pour manger le chili. Les enfants vont adorer !

Variante : Ce chili est parfait pour faire le ménage du frigo. Utilisez les légumes que vous avez sous la main, en respectant les mêmes proportions. Champignons, patate douce, courge, oignons verts, poireau et pied de brocoli conviennent pour cette recette passe-partout.

Tartinade aux tomates séchées

4 PORTIONS • PRÉPARATION : 10 min • CUISSON : aucune • PRIX : 2,56 $ / portion

INGRÉDIENTS VEDETTES

tomates séchées

ail

tofu extra-ferme

fromage de chèvre nature non affiné

basilic frais

125 ml (1/2 tasse) de **tomates séchées** conservées dans l'huile et égouttées (environ 10 morceaux)

2 gousses d'**ail**

300 g (10 oz) de **tofu extra-ferme** en gros cubes

150 g (5 oz) de **fromage de chèvre** nature non affiné

60 ml (1/4 tasse) de **ciboulette fraîche** ciselée

60 ml (1/4 tasse) de **basilic frais** haché finement

Poivre du moulin et **sel**

1. Au robot culinaire, hacher finement les tomates séchées et l'ail. Réserver 30 ml (2 c. à soupe) de cette préparation.
2. Dans la jarre du robot, ajouter le tofu et le fromage de chèvre, et mixer pour obtenir une texture crémeuse et homogène. Transvider dans un bol.
3. Ajouter le mélange de tomates séchées et d'ail réservé, la ciboulette et le basilic. Poivrer généreusement et ajouter une pincée de sel. Bien mélanger et servir sur des croûtons de pain baguette ou des craquelins. Se conserve 4 jours au réfrigérateur et ne se congèle pas.

VALEURS NUTRITIVES
(par portion)

172 Calories
Protéines : 18 g
Lipides : 14 g
Glucides : 4 g
Fibres : 1 g
Sodium : 210 mg

Astuce : Si vous n'aimez pas le fromage de chèvre, vous pouvez le remplacer par du fromage à la crème allégé. Toutefois, dans cette recette, ce sont les tomates séchées qui prennent le dessus, alors c'est une bonne façon d'apprivoiser le fromage de chèvre tout en douceur.

Variante : Cette tartinade fera d'excellents sandwichs végé. Il vous suffit de l'étendre sur une tranche de pain croûté multigrain. Garnissez de tranches de tomate et de concombre ainsi que de petites feuilles d'épinard ou de laitue frisée. Couvrir d'une deuxième tranche de pain et servir.

À GO,
ON BOUGE!

**Pas besoin d'être un athlète
de haut niveau** pour s'intéresser
à la nutrition sportive. Personne n'aime
manquer d'énergie pendant son jogging,
avoir des étourdissements au gym, manquer
de coordination à la danse ou avoir mal à la tête
après une partie de tennis. Ce que vous mangez
et buvez avant, pendant et après la pratique
d'un sport a beaucoup plus d'importance
que vous ne le croyez!

Le point de vue de Geneviève

Adolescente, j'étais celle qui était choisie en dernier lorsqu'on formait les équipes, celle qui passait la partie sur le banc parce qu'elle était un boulet. Ça m'a complètement découragée et je n'ai pas bougé pendant des années...

Jusqu'au jour où j'ai fait ma première randonnée en montagne. Je m'en souviens comme si c'était hier. Les sens qui se réveillent. La beauté de la nature. La récompense d'atteindre le sommet. Bouger sans s'en rendre compte. Sans être évaluée. Sans compétition et sans comparaison. Le plein air m'a réconciliée avec les sports. Pour moi, bouger, c'est dehors que ça se passe...

Maintenant, j'ai un plaisir fou à me balader à vélo au bord de la rivière près de chez moi. J'adore courir dans mon quartier après une grosse journée de travail et je saisis toutes les occasions qui s'offrent à moi pour partir en randonnée.

Les randonnées m'ont aussi fait voyager. J'ai foulé des sentiers et exploré des montagnes un peu partout dans le monde. Mes bottes ont parcouru la Grande Muraille de Chine, les Alpes suisses, le Machu Picchu au Pérou, les volcans du Guatemala, la côte accidentée de l'Irlande et le Grand Canyon aux États-Unis. Je suis prête à faire bien des sacrifices pour pouvoir voyager plus souvent!

J'ai appris à bouger «sur le tard», mais je crois qu'il n'est jamais trop tard pour trouver ce qui nous fait vibrer. Je me sens en vie lorsque je bouge. Je me sens énergisée. Je me sens bien dans ma peau. J'ai les idées claires et je deviens plus optimiste. Bouger me rend heureuse. Essayez, vous verrez!

Le point de vue d'Alexandra

Je n'ai longtemps fait travailler que mes muscles du front... au menton! Je connaissais à peine ceux de mon cou à mes pieds. Je détiens le record mondial d'abonnements à des gyms, jamais utilisés. Je voulais pourtant faire du sport, sans jamais avoir trouvé le mien. J'avais toujours dans mon rétroviseur l'idée qu'une vie sédentaire était le passeport pour une carrosserie qui tomberait avant le temps.

Jusqu'au jour où mon amie Sophie m'a initiée aux joies (encore surréalistes alors) de la course à pied. Je ne me doutais aucunement du plaisir, de la fierté, du sentiment d'accomplissement et d'invincibilité que j'éprouverais. Ah! oui, et tous les beaux *kits* également que je posséderais désormais!

Je n'ai jamais su tenir une raquette ni descendre une piste de ski, mais pour courir, mon corps a collaboré. Je ne suis plus faite en chocolat et j'ai perdu l'envie de manger n'importe quoi. Je cours maintenant douze mois par année.

Puis, j'aime apprendre de gens meilleurs que moi. Jasmin Roy, mon premier coach dont vous lirez d'ailleurs quelques conseils ici, a exercé une influence déterminante. Un peu à la façon d'un prof d'école qui vous marque éternellement et dont la motivation vous habite.

Enfin, je pensais m'entraîner pour pouvoir m'empiffrer, gourmande incontrôlable que j'étais... Mais j'ai découvert que plus je fais du sport, mieux je mange. Et plus je fais du sport, plus je me sens forte, mieux je dors et plus j'aime mon corps. Faire du sport, c'est m'acheter du bonheur.

Moins de **15% des enfants** et des adolescents pratiquent des activités physiques régulières en dehors de l'école[6].

CONSULTEZ LES PROS!

Si vous vous entraînez de façon intense ou si vous planifiez un défi sportif particulier comme l'ascension du Kilimandjaro ou la participation à un marathon, n'hésitez pas à consulter une nutritionniste spécialisée en nutrition sportive pour un plan adapté à votre situation.

À BOIRE!

Peu importe la durée de votre activité, l'hydratation est toujours très importante. Buvez un minimum de 250 ml (1 tasse) par 30 minutes. Buvez continuellement de petites gorgées et n'attendez pas de ressentir la soif. Le signal de la soif indique que la déshydratation est déjà présente. Le jus, même pur à 100 %, est trop concentré et risque de provoquer des crampes. Alternez plutôt entre l'eau et les boissons pour sportifs.

✦ L'AVIS DU PRO ✦

Jasmin Roy,
Directeur adjoint aux affaires étudiantes et communautaires, Cégep Édouard-Montpetit

« Pour faire aimer l'activité physique à un enfant, la notion de plaisir est essentielle. Pour éviter qu'il ne se décourage, on doit lui demander de faire quelque chose qui ne soit pas trop difficile. La motivation naîtra du plaisir qu'il a. En âge préscolaire, on ne parle pas en termes de sport, mais en termes d'action. L'important, ce n'est pas qu'un enfant joue au soccer, mais qu'il joue avec un ballon, un Frisbee, une balle. Si on lui donne une raquette de badminton avec un volant, il va s'emmerder. Mais avec une raquette de badminton et un ballon gonflé, alors là, il va pouvoir taper l'objet et s'amuser! Ça se résume à cette infaillible équation: "Plaisir + défi réussi = succès". En grandissant, le choix d'un sport viendra naturellement si l'enfant a toujours eu du plaisir à bouger naturellement. Il va découvrir ses champs d'intérêt et ses aptitudes, et il va constamment bouger. »

Gilles Barbot,
athlète et chef d'entreprise, papa
de Louis (12 ans), de Vianney (9 ans),
de Nina (2 ans) et de bébé Malo

« Il ne faut pas tomber dans le piège de l'alimentation par rapport à la performance athlétique. Ça devient une source de stress qui va nuire à l'entraînement. »

QUOI MANGER...

AVANT DE BOUGER

Prenez une collation 60 minutes avant votre entraînement. Ne partez surtout pas le ventre vide! Vos réserves d'énergie tomberaient à plat en moins de deux. Une bonne collation combine une source de protéines et une source de glucides.
Voici quelques exemples :
- Des noix et des fruits séchés
- Une rôtie au beurre d'arachides
- Un verre de lait avec quelques dattes
- Un yogourt garni de fruits frais ou de céréales muesli
- Du fromage et des craquelins
- Un smoothie fait de yogourt et de fruits surgelés

PENDANT L'ACTIVITÉ

Soyez à l'écoute de votre corps. Celui-ci vous envoie des signaux de faim, de soif et de fatigue qu'il ne faut pas sous-estimer!
- Pour une activité d'une heure ou moins, l'eau suffit.
- Pour une activité d'une à deux heures, une boisson énergétique (boisson pour sportif) permet de fournir les glucides et les électrolytes nécessaires pour maintenir le rythme.
- Pour une activité de plus de 2 heures : une bonne hydratation jumelée à une collation nourrissante est de mise. Prévoyez une collation pour chaque bloc de 2 heures.
- Pendant une randonnée ou une activité qui s'échelonne sur toute une journée, mieux vaut prendre de nombreuses collations nourrissantes plutôt qu'un gros repas.

APRÈS...
POUR BIEN RÉCUPÉRER !

Le facteur temps est important. Il ne faut pas trop attendre! L'idéal est de consommer des glucides et des protéines de 15 à 20 minutes après l'activité physique. Ça peut être un smoothie à base de tofu (page 212) ou même un verre de lait au chocolat. Une banane et des amandes ou un lait de soya et des dattes sont d'autres bonnes options. Prévoyez une collation qui sera prête dès la fin de votre entraînement. Continuez à bien vous hydrater tout au long du retour à la maison.

Patrick Marsolais,
animateur, papa de Noah (12 ans), de Clara (8 ans) et de Philippe (5 ans)

« J'adore voir mes enfants trouver une valorisation dans ce qu'ils font. En ce moment, c'est dans le sport. Je les ai encouragés à en faire jusqu'à un haut niveau. Mais je me rends compte du paradoxe. Je veux que mes enfants se sentent libres, mais on ne l'est pas quand on s'engage à fond dans un sport. Chaque début d'année, je m'assois donc avec ma fille pour lui demander : "Souhaites-tu encore faire du patinage, avec tout ce que ça implique ?" C'est important de discuter. »

Gilles Barbot,
athlète et chef d'entreprise, papa de Louis (12 ans),
de Vianney (9 ans), de Nina (2 ans) et de bébé Malo

« Je suis un grand sportif, mais je ne pousse pas mes enfants à être comme moi. J'aspire à un environnement où le sport, les activités et les défis sont très importants. Mais dans les faits, les enfants peuvent bien décider de pratiquer un sport à un niveau intense ou pas. Ce qui n'importe, c'est qu'ils soient passionnés et qu'ils se battent pour leurs rêves. »

« Ma grand-mère disait : « Ce n'est pas le résultat qui compte, c'est l'effort. »

« Il faut s'alimenter en tenant compte de l'intensité de l'activité. Une marche n'est pas un marathon. »

PRENDRE LE TEMPS...

Florence K,
auteure-compositrice-interprète, maman d'Alice (7 ans)

« Je suis très *entertaining*. Les week-ends, je propose toujours une ou deux activités amusantes à ma fille : une promenade à la montagne, une visite au Biodôme, un après-midi au cinéma, du ski. Et j'emmène souvent les enfants de mes amis pour qu'Alice ait de la compagnie. Je fais aussi en sorte que tout devienne un jeu, l'épicerie comme le ménage des tiroirs de sa chambre ! »

Rita Lafontaine,
comédienne, maman et grand-maman !

« Quel que soit notre métier, on peut trouver le temps d'être présent auprès de ses enfants. Quand je partais en tournée et que ma fille était encore petite, je m'arrêtais dans une cabine téléphonique dans toutes les villes, chaque soir, pour lui dire bonne nuit. Je lui chantais sa chanson au téléphone. C'était mon rituel. »

Gilles Barbot,
athlète et chef d'entreprise, papa de Louis (12 ans), de Vianney (9 ans), de Nina (2 ans) et de bébé Malo

« Les enfants font attention à ce qu'on fait et pas nécessairement à ce qu'on dit. Comme par osmose, plus on passe de temps ensemble, plus il y aura un échange, une transmission de savoir avec eux. »

François Hamelin,
juge, papa de Marie-Noëlle (33 ans), de Justine (30 ans) et de Pierre-Marc (35 ans)

« J'ai privilégié les moments seul à seul avec mes enfants, dès leur jeune âge jusqu'à l'adolescence. Régulièrement, j'allais au resto avec un à la fois pendant une heure. L'idée, c'est de sortir l'enfant de son univers. La première demi-heure, il se sent comme un prince à cause de toute l'attention qu'il reçoit. Il y avait des moments de silence pendant lesquels je ne disais rien. Puis, au cours de la deuxième demi-heure, les vraies choses sortaient. Pas que les drames, mais les angoisses profondes. Si mon enfant admettait une erreur, jamais je ne le disputais ; je comprenais tout. Ces situations créent une intimité et les messages passent en douceur. Ce sont des moments sacrés ! »

Boules d'énergie

18 BOULES • PRÉPARATION : 20 min • CUISSON : 10 min • PRIX : 0,20 $ / boule

INGRÉDIENTS VEDETTES

abricots séchés

raisins secs dorés

canneberges séchées

guimauves miniatures

flocons d'avoine à cuisson rapide

125 ml (1/2 tasse) d'**abricots séchés** et hachés grossièrement (environ 12 abricots)

125 ml (1/2 tasse) de **raisins secs** dorés

250 ml (1 tasse) de **canneberges séchées**

250 ml (1 tasse) d'**eau**

250 ml (1 tasse) de **guimauves** miniatures

500 ml (2 tasses) de **flocons d'avoine** à cuisson rapide (gruau)

1. Dans une casserole moyenne, mélanger les abricots, les raisins, les canneberges et l'eau. Couvrir et cuire 10 minutes à feu moyen-vif ou jusqu'à ce que l'eau soit presque toute évaporée (voir astuce).
2. Retirer du feu, verser la compote de fruits séchés dans le récipient du robot culinaire et réduire en purée.
3. Remettre dans la casserole, ajouter les guimauves et mélanger. La chaleur de la compote de fruits sera suffisante pour faire fondre les guimauves.
4. Ajouter l'avoine et mélanger pour bien enrober. Laisser refroidir la préparation avant de former des boules de la grosseur d'une balle de ping-pong.
Se conserve 10 jours au réfrigérateur ou 2 mois au congélateur.

VALEURS NUTRITIVES
(par portion)

83 Calories
Protéines : 2 g
Lipides : 1 g
Glucides : 17 g
Fibres : 2 g
Sodium : 3 mg

Astuce : À l'étape 1, il est important de laisser mijoter la compote de fruits séchés jusqu'à ce qu'il ne reste presque plus d'eau au fond de la casserole. Sinon, les boules seront trop molles.

Variante : Vous pouvez changer la sorte de fruits séchés, pourvu que vous conserviez les mêmes quantités. Dattes, cerises, poires ou pommes séchées seront délicieuses dans cette recette.

Smoothie vitaminé

4 PORTIONS • PRÉPARATION : 5 min • CUISSON : 4 min • PRIX : 1,71 $ / portion

INGRÉDIENTS VEDETTES

carottes

fraises

cerises

yogourt nature

jus de grenade

2 **carottes** moyennes pelées et coupées en rondelles

675 ml (1 1/2 tasse) de **fraises** surgelées et décongelées

125 ml (1/2 tasse) de **cerises** ou de bleuets surgelés et décongelés

250 ml (1 tasse) de **yogourt** nature

250 ml (1 tasse) de **jus de grenade** pur ou de jus de canneberge

5 ml (1 c. à thé) de **gingembre** frais râpé

250 ml (1 tasse) de **glaçons**

1. Déposer les carottes dans un plat allant au four à micro-ondes. Ajouter 2,5 cm (1 po) d'eau au fond du plat et couvrir d'une pellicule de plastique. Cuire de 3 à 4 minutes ou jusqu'à ce que les carottes soient tendres. Déposer les carottes dans un tamis ou une passoire, passer sous l'eau froide et égoutter.
2. Au mélangeur électrique (*blender*), en commençant à faible vitesse et en augmentant progressivement, réduire tous les ingrédients – sauf les glaçons. Lorsque la boisson est lisse et onctueuse, ajouter les glaçons et mixer pour les concasser.
3. Verser la boisson dans des verres et servir. Se conserve 2 jours au réfrigérateur. Remuer avant de servir.

VALEURS NUTRITIVES
(par portion)

142 Calories
Protéines : 5 g
Lipides : 2 g
Glucides : 29 g
Fibres : 4 g
Sodium : 72 mg

Astuce : Il vous en reste ? Versez-le dans des contenants à sucettes glacées pour en faire des *popsicles* vitaminés !

Variante : N'hésitez pas à changer la sorte de fruits utilisés, mais conservez les carottes. Elles ajoutent de l'onctuosité ainsi qu'une bonne dose de vitamines.

En cas d'allergie aux produits laitiers... Remplacez le yogourt par la même quantité de tofu soyeux mou nature.

Barre énergétique choco-amandes

12 PORTIONS • PRÉPARATION : 5 min • CUISSON : 5 min • RÉFRIGÉRATION : 1 h
PRIX : 0,40 $ / portion

INGRÉDIENTS VEDETTES

chocolat noir

miel

beurre d'amandes

amandes moulues

flocons d'avoine à cuisson rapide

125 ml (1/2 tasse) de **chocolat noir** concassé (75 g / 2,5 oz)

125 ml (1/2 tasse) de **miel**

60 ml (1/4 tasse) de **beurre d'amandes**

60 ml (1/4 tasse) d'**amandes** moulues

250 ml (1 tasse) de **flocons d'avoine** à cuisson rapide (gruau)

1. Dans une casserole moyenne, faire fondre à feu moyen le chocolat avec le miel et le beurre d'amandes, en remuant de temps en temps.
2. Retirer du feu, ajouter les amandes moulues et l'avoine, puis bien mélanger.
3. Transvider dans un moule à pain rectangulaire d'environ 10 cm sur 20 cm (4 po sur 8 po) recouvert de papier parchemin. Bien presser la préparation avec une fourchette et réfrigérer 1 heure ou plus. Démouler en soulevant le papier parchemin. Tailler en 12 carrés et emballer individuellement.
Se conserve 2 semaines au réfrigérateur ou 2 mois au congélateur.

Astuce : Une heure avant la pratique d'une activité physique de 60 minutes (course, match de tennis ou de soccer...), dégustez 1 carré avec un verre de lait. Pour une activité aussi intense, mais plus longue (randonnée en montagne, sortie en vélo, balade en kayak...), dégustez 1/2 carré par heure pendant l'activité. Croquez de petites bouchées et buvez de l'eau.

Variante : Remplacez le beurre d'amandes par un beurre d'arachides naturel ou un autre beurre de noix. Vous pouvez aussi troquer les amandes moulues par une autre sorte de noix, que vous passerez au robot culinaire afin d'en faire une poudre.

En cas d'allergie aux amandes... Utilisez du beurre de soya ou de pois jaune ainsi que des fèves de soya grillées et moulues.

VALEURS NUTRITIVES
(par portion)

159 Calories
Protéines : 3 g
Lipides : 7 g
Glucides : 23 g
Fibres : 2 g
Sodium : 4 mg

Boisson sportive mangue et canneberge

2 PORTIONS • PRÉPARATION : 5 min • CUISSON : aucune • PRIX : 0,83 $ / portion

INGRÉDIENTS VEDETTES

mangue

jus de canneberge

sel

glaçons

eau

250 ml (1 tasse) de **mangue** en dés surgelée et décongelée ou 1 mangue fraîche pelée et coupée en dés

250 ml (1 tasse) de **jus de canneberge** pur

1 ml (1/4 c. à thé) de **sel**

250 ml (1 tasse) de **glaçons**

500 ml (2 tasses) d'**eau froide**

1. Au mélangeur électrique (*blender*), mixer la mangue, le jus et le sel en augmentant progressivement la vitesse du mélangeur.
2. Lorsque la purée est très lisse, ajouter les glaçons et mixer de nouveau pour les concasser. Ajouter l'eau, mélanger et verser dans des gourdes.
   Se conserve 1 semaine au réfrigérateur.

VALEURS NUTRITIVES
(par portion)

118 Calories
Protéines : 1 g
Lipides : 0 g
Glucides : 31 g
Fibres : 2 g
Sodium : 241 mg

Astuce : Après avoir essayé cette recette, vous ne dépenserez plus d'argent pour acheter des boissons sportives du commerce. Finis le goût artificiel et la couleur fluo ! Votre boisson maison sera tout aussi efficace, et beaucoup plus savoureuse.

Variante : Cette boisson est très désaltérante pendant la pratique d'une activité sportive intense, que ce soit le vélo, la randonnée, le tennis ou la course. Pour la déguster au repos, omettez le sel, tout simplement !

Barres tendres
« rondelles de hockey »

18 RONDELLES • PRÉPARATION : 10 min • CUISSON : 15 min • PRIX : 0,30 $ / rondelle

INGRÉDIENTS VEDETTES

riz soufflé

flocons d'avoine
à cuisson rapide
(gruau)

œufs

huile végétale

miel

500 ml (2 tasses) de **riz soufflé**
(de type Rice Krispies)

250 ml (1 tasse) de **flocons d'avoine** à cuisson rapide (gruau)

125 ml (1/2 tasse) de **noix de coco** râpée

125 ml (1/2 tasse) d'**amandes** tranchées

125 ml (1/2 tasse) de **canneberges** hachées finement

60 ml (1/4 tasse) de **graines de lin** moulues

2 **œufs**

60 ml (1/4 tasse) d'**huile végétale**

60 ml (1/4 tasse) de **miel**

1. Placer la grille au centre du four et préchauffer le four à 180 ºC (350 ºF).
2. Dans un grand bol, mélanger le riz soufflé, l'avoine, la noix de coco, les amandes, les canneberges et les graines de lin.
3. Creuser un puits au centre du mélange de céréales, y casser les œufs et les battre à la fourchette. Ajouter l'huile et le miel sur les œufs battus et mélanger au reste des ingrédients.
4. Répartir dans des moules à muffins en silicone ou en métal légèrement huilés. Presser fermement avec les doigts pour bien tasser les céréales dans les moules.
5. Cuire au four de 10 à 15 minutes ou jusqu'à ce que les céréales soient dorées.
   Se conserve 1 semaine dans un contenant hermétique ou 1 mois au congélateur.

Astuce : Vos petits futés sont impliqués dans plusieurs sports et grouillent sans arrêt ? Faites-vous des réserves de rondelles et congelez-les pour en avoir en tout temps. Puisque les noix et les arachides sont interdites dans les écoles primaires du Québec, vous pouvez les remplacer par des graines de soya grillées.

Variante : Préparez cette recette dans un moule carré d'environ 22,5 cm (9 po) allant au four. Pressez fermement la préparation à l'aide d'une spatule ou d'une fourchette. Cuire au four 20 minutes ou jusqu'à ce que les céréales soient dorées. Laissez refroidir et taillez en barres.

En cas d'allergie aux noix... Omettez la noix de coco et les amandes, et remplacez-les par 250 ml (1 tasse) de raisins secs hachés finement.

VALEURS NUTRITIVES
(par portion)

137 Calories
Protéines : 3 g
Lipides : 7 g
Glucides : 16 g
Fibres : 2 g
Sodium : 37 mg

Le bol de riz du sportif

6 PORTIONS • PRÉPARATION : 20 min • CUISSON : 20 min • PRIX : 2,29 $ / portion

INGRÉDIENTS VEDETTES

riz basmati

poivrons colorés

petits pois verts

maïs en grains surgelé

poulet cuit

250 ml (1 tasse) de **riz basmati**

500 ml (2 tasses) de **bouillon de légumes** ou de poulet réduit en sodium

5 ml (1 c. à thé) d'**huile d'olive**

2 branches de **céleri** hachées finement

1 **poivron rouge** en petits dés

1 **poivron orange** en petits dés

250 ml (1 tasse) de **petits pois verts** surgelés

250 ml (1 tasse) de **maïs** surgelé

500 ml (2 tasses) de **poulet cuit** coupé en dés

15 ml (1 c. à soupe) de **paprika fumé** doux

7,5 ml (1/2 c. à soupe) de **cumin** moulu

Poivre du moulin et **sel**

60 ml (1/4 tasse) de **coriandre fraîche** hachée finement ou autre herbe fraîche

2 **limes** en quartiers

1. Dans une casserole moyenne, mélanger le riz et le bouillon. Porter à ébullition à feu vif, réduire à feu doux, couvrir et laisser mijoter 15 minutes. Retirer du feu sans ouvrir le couvercle. Ne pas trop cuire le riz : la cuisson se poursuivra avec le reste des ingrédients.
2. Pendant la cuisson du riz, chauffer un poêlon antiadhésif, verser l'huile et l'étendre avec un pinceau. Ajouter le céleri et cuire 5 minutes à feu moyen-vif.
3. Ajouter les poivrons, les pois et le maïs, puis poursuivre la cuisson 5 minutes de plus à feu moyen. Remuer à quelques reprises.
4. Lorsque les légumes sont tendres, ajouter le poulet, le paprika fumé et le cumin. Poivrer généreusement et ajouter une pincée de sel. Mélanger pour bien répartir les épices, ajouter le riz et remuer délicatement. Retirer du feu.
5. Servir dans des bols et garnir de coriandre et de quartiers de lime.
Se conserve 4 jours au réfrigérateur et ne se congèle pas.

VALEURS NUTRITIVES
(par portion)

291 Calories
Protéines : 21 g
Lipides : 4 g
Glucides : 43 g
Fibres : 4 g
Sodium : 300 mg

Astuce : Consommez ce bol de riz la veille ou le jour d'une compétition. C'est un plat facile à digérer qui ne vous causera pas d'inconfort. Avant un effort physique, mieux vaut ne pas consommer d'ail, d'oignon, de piment, d'épices ou de plats riches en matières grasses. Misez plutôt sur les aromates et les herbes : ils donnent du goût aux plats sans bouleverser l'estomac.

Variante : Vous pouvez remplacer le poulet par une autre protéine faible en gras. Les crevettes nordiques, le thon, le filet de porc, le crabe et le saumon en conserve sont de bons choix de protéines pour ce plat. Les légumineuses et le tofu le sont également, mais seulement si vous avez l'habitude d'en manger. Avant un match important, mieux vaut ne pas ajouter un nouvel aliment à son menu.

Barres croquantes au miel et tournesol

16 BARRES • PRÉPARATION : 10 min • CUISSON : 20 min • PRIX : 0,39 $ / portion

INGRÉDIENTS VEDETTES

miel

beurre de tournesol

œufs

flocons d'avoine à cuisson rapide

céréales Shredded Wheat

500 ml (2 tasses) de **céréales Shredded Wheat**

125 ml (1/2 tasse) de **miel**

125 ml (1/2 tasse) de **beurre de tournesol** ou autre beurre de noix

2 **œufs**

500 ml (2 tasses) de **flocons d'avoine** à cuisson rapide (gruau)

125 ml (1/2 tasse) de **graines de tournesol** écalées, non salées

1. Placer la grille au centre du four et préchauffer le four à 180 ºC (350 ºF).
2. Émietter les céréales Shredded Wheat avec les doigts. Réserver.
3. Dans un bol, battre à la fourchette le miel, le beurre de tournesol et les œufs. Ajouter l'avoine, les céréales et les graines de tournesol, et mélanger pour bien humecter les ingrédients.
4. Préparer un plat de cuisson de 23 cm sur 30 cm (9 po sur 12 po). Tailler un rectangle de papier parchemin de la même largeur que le plat, mais plus long, et tapisser le fond du plat.
5. Transvider la préparation dans le plat de cuisson et presser à l'aide d'une fourchette.
6. Cuire au four 20 minutes ou jusqu'à ce que les rebords soient dorés.
7. Laisser refroidir complètement avant de démouler. Tailler en 16 barres rectangulaires. Conserver dans un plat hermétique ou emballer individuellement dans une pellicule de plastique.
   Se conserve 1 semaine au réfrigérateur ou 2 mois au congélateur.

Astuce : Avez-vous remarqué ? Cette recette se prépare dans un seul bol, et on aime ça ! Vive les recettes futées à seulement 6 ingrédients et qui nous permettent en plus de laver moins de vaisselle !

Variante : Pour une touche gourmande, versez du chocolat noir fondu dans un sac à sandwich (de type Ziploc). Coupez l'un des coins du sac pour former une douille et tracez de longues lignes de chocolat fondu sur les barres tiédies.

En cas d'allergie au tournesol... Vous pouvez remplacer le beurre de tournesol par du beurre de soya, et les graines de tournesol par des graines de soya grillées.

VALEURS NUTRITIVES
(par portion)

178 Calories
Protéines : 5 g
Lipides : 8 g
Glucides : 25 g
Fibres : 2 g
Sodium : 9 mg

Lait fruité après l'exercice

2 PORTIONS • PRÉPARATION : 5 min • CUISSON : aucune • PRIX : 0,95 $ / portion

INGRÉDIENTS VEDETTES

lait

lait en poudre

fruits surgelés

vanille

glaçons

VALEURS NUTRITIVES
(par portion)

198 Calories
Protéines : 16 g
Lipides : 3 g
Glucides : 26 g
Fibres : 1 g
Sodium : 230 g

250 ml (1 tasse) de **lait**

125 ml (1/2 tasse) de **lait en poudre**

250 ml (1 tasse) de **fruits surgelés** au choix, légèrement décongelés

2,5 ml (1/2 c. à thé) de **vanille** (facultatif)

250 ml (1 tasse) de **glaçons**

1. Au mélangeur électrique (*blender*), mixer le lait, le lait en poudre, les fruits et la vanille afin d'obtenir une préparation lisse et homogène.
2. Ajouter les glaçons et mixer encore pour bien les concasser. Servir immédiatement.

Astuce : Après un exercice très intense, il est conseillé de boire une boisson contenant des protéines et des glucides, comme ce lait fruité. Le lait et le lait en poudre fournissent des protéines tandis que les fruits apportent des glucides, deux éléments qui favorisent la récupération.

Variante : Si vous avez des bananes sous la main, elles seront délicieuses dans ce lait fruité. Les amateurs de beurre d'arachides voudront en ajouter 15 ml (1 c. à soupe) à l'étape 1, pour une dose de plaisir supplémentaire.

En cas d'allergie aux produits laitiers... Vous pouvez remplacer le lait par de la boisson de soya et le lait en poudre par 125 ml (1/2 tasse) de tofu soyeux.

APPRIVOISER LE POISSON

Vous avez été échaudé par des poissons mal apprêtés, fades et trop cuits? Vous ouvrez toutes les fenêtres, même en plein hiver, de crainte d'empester la maison avec l'odeur de votre filet de sole? Les enfants rouspètent dès que vous prononcez le mot «poisson»? Voici des trucs pour apprivoiser ces délices d'eau douce et d'eau salée... qu'il faut manger non pas une, ni deux mais bien trois fois par semaine. Eh oui!

Le point de vue d'Alexandra

Mon corps et le poisson sont de très grands amis. Si mon corps pouvait parler, il hurlerait son amour pour le tartare, la paella, le saumon fumé, le gravlax, les plats de curry de poisson à l'indienne, cajun et tempura.

Mais plus souvent qu'autrement, je prépare le poisson dans sa plus simple expression: un filet d'huile d'olive dans la poêle, je tourne et je sers. Les enfants en raffolent! On ne change pas une formule gagnante.

Quand Henri est né, on habitait au-dessus d'une poissonnerie tenue par des Grecs. C'était la vie comme je l'avais rêvée: après une tétée, je descendais, le petit sur la hanche, pour aller chercher le repas du soir. Et j'y retournais encore le lendemain. Pendant que le propriétaire, Billy, catinait mon fils, son épouse, Angie, me faisait goûter des tranches d'un arrivage du jour. Mieux encore, à Noël, ils nous ouvraient d'immenses plateaux d'huîtres et on invitait des amis pour les partager. Je me sentais comme une reine de l'art ménager et du logis, alors que tout n'était que simplicité et fraîcheur. Plusieurs années plus tard, même si on a déménagé, je retourne constamment les voir avec les enfants, qui font à présent leurs propres choix. Et lorsqu'on voyage, les marchés de poissons sont parmi les premiers lieux que je souhaite faire découvrir aux enfants. Ça les émerveille, ça les fascine et je suis assurée qu'ils aimeront en manger autant que moi.

 # Le point de vue de Geneviève

Petite, je mangeais du poisson parce que je devais manger ce qu'il y avait dans mon assiette, un point c'est tout. Mais je n'aimais pas vraiment ça.

En fait, pour bien des gens, ce n'était pas évident d'aimer le poisson dans les années 1970 et 1980. L'épicerie du coin se limitait aux poissons surgelés « en brique » et aux bâtonnets de poisson pané. L'arrivée du four à micro-ondes à la maison n'a pas aidé la cause du poisson. Ma mère « expérimentait » son nouveau gadget culinaire en faisant trop cuire des filets de sole dans des tomates en canne. (Pardon, maman!)

Ma réconciliation avec le poisson a eu lieu lorsque j'étais étudiante. J'ai habité à deux pas du marché Jean-Talon à Montréal. Plusieurs fois par semaine, je me pointais à la poissonnerie et je bombardais le pauvre poissonnier de mille questions. J'ai non seulement découvert comment choisir et cuisiner le poisson, mais aussi à quel point le poisson frais n'a rien à voir avec le poisson trop cuit de mon enfance.

Ensuite, ce sont les voyages qui ont fait le reste du travail. Le poisson est au cœur des habitudes alimentaires de bien des peuples que j'ai eu la chance de découvrir. Au Portugal, en Irlande, au Sénégal, en Malaisie, en Martinique ou en Finlande... j'ai mangé du poisson presque chaque jour dans ces pays! On m'a même dit qu'au Portugal, il existe 365 façons d'apprêter la morue, une pour chaque jour de l'année. Ces pays tournés vers la mer maîtrisent l'art d'apprêter le poisson. J'ai beaucoup appris d'eux!

Le secret pour apprécier le poisson, c'est de bien le cuire.

Pas trop, juste assez. Un poisson trop cuit sera sec, fade et décevant. Un poisson parfaitement cuit sera moelleux et sa chair encore humide sera tout juste opaque. Elle se défera en flocons et ne sera pas friable. Évitez la cuisson à la poêle pour commencer, qui répand beaucoup d'odeurs dans la maison. La cuisson au four est plus « douce » pour les narines ! Ne sautez pas d'étapes. Commencez par cuisiner le poisson une fois par deux semaines, pendant quelque temps, puis augmentez la fréquence graduellement.

LES POISSONS GAGNANTS[9]

Ces poissons et ces fruits de mer contiennent une plus grande concentration d'oméga-3 tout en présentant une faible concentration de mercure : anchois, capelan, omble, merlu, hareng, maquereau, meunier noir, goberge, saumon, éperlan, truite arc-en-ciel, corégone, crabe, crevette, palourde, moule et huître.

Pascale Wilhelmy, animatrice, maman de Lola (25 ans) et de Romain (19 ans)

« Enfant, Romain n'était pas friand de poisson. Je lui disais donc qu'en mangeant du poisson, il serait plus grand, meilleur à l'école et qu'il aurait une meilleure mémoire. Ce n'était pas faux, c'était la vérité... exagérée ! »

✦ L'AVIS DE LA PRO ✦

Docteure Christiane Laberge, spécialiste en médecine familiale et chroniqueuse santé

« On recommande encore et toujours de manger du poisson deux ou trois fois par semaine. Je suis d'avis que les enfants mangent ce que les parents mangent. On prêche par l'exemple. Alors, mangeons du poisson ! Il faut y mettre les efforts au début. Mais ensuite, le plaisir vient et les résultats sont là. Il faut éduquer et impliquer les enfants. »

«Il peut arriver qu'on finisse l'assiette d'un petit. Mais mes enfants savent qu'ils doivent "tolérer" ce qu'ils n'aiment pas dans leur assiette. Partager, c'est une chose. Mais refiler ce qu'on n'aime pas dans l'assiette de son voisin, ça ne passe pas. Même s'il n'y touche pas du repas, à force d'endurer la présence d'un aliment qui le fait grimacer, l'enfant finira par l'apprivoiser. Bien entendu, on ne fait pas d'histoire autour de ça. On poursuit le souper comme si de rien n'était.»

— **Alexandra**

✤ L'AVIS DE LA PRO ✤

Claudia Écrement,
psychologue, Clinique de psychologie St-Lambert

PATIENCE ET PERSÉVÉRANCE

«La patience est de mise en ce qui a trait à l'alimentation de son enfant. Il y a des facteurs liés aux gènes et aux personnalités. Les garçons, par exemple, vont préférer les pantalons mous – les fameux pantalons de jogging – aux chemises. Ça s'applique aussi en alimentation, alors que certains enfants sont plus sensibles à des textures que d'autres. Certains aiment peu le changement. On le voit à chaque transition: un nouveau professeur à l'école, le changement de groupe à la garderie... Devant un nouvel aliment, un enfant peut avoir besoin de le goûter de 15 à 20 fois avant de l'aimer.»

PARENT ZEN

«Quand un enfant émet un commentaire négatif à propos du repas, il faut rester calme et l'ignorer. De toute façon, nos réactions risquent de conduire à une crise. Il vaut mieux dire: "C'est correct, mon petit loup, je te demande juste de goûter!" On évite aussi de déterminer le nombre de bouchées à avaler, sinon, par orgueil, l'enfant s'arrêtera après ce nombre. Il faut demeurer confiant, car il se peut qu'un jour notre enfant raffole de l'aliment qu'il n'aime pas aujourd'hui. Pour y arriver, il est préférable d'offrir un nouvel aliment avec d'autres connus et appréciés. L'enfant doit se sentir en terrain connu. Il est important de savoir que chez un grand nombre d'enfants anxieux, l'arrivée d'un nouvel aliment engendre de l'opposition. Ils n'ont pas appris à dire: "J'ai peur, je n'aime pas l'inconnu", alors ils se braquent. Il faut éviter d'ajouter de la pression.»

Sur la planète, on consomme
4 200 kg de poisson par seconde contre 2 100 kg de viande bovine
et 3 300 kg de viande porcine[11].

1 Québécois sur 4 dit ne pas manger de poisson à cause de son prix[12].

✦ LE TRUC DU PRO ✦

Antonio Park,
chef chez Park restaurant

Riccardo Cellere

CHOISIR SON POISSON

« Il faut s'informer de la provenance du poisson auprès de son épicier… qui se doit de connaître la réponse. Sinon, on va ailleurs. Il y a toujours des gens professionnels pas très loin qui connaissent leur travail, et il faut les encourager. »

CONSERVATION DU POISSON

« Une fois qu'il est acheté, le poisson se conserve cru au frigo pendant un maximum de trois jours. Pour le conserver pendant une semaine, le meilleur truc est de le mariner. Très simplement, on le laisse tremper dans un sac hermétique contenant de la sauce soya, de la sauce tamari ou du vinaigre balsamique mélangé à de l'huile ou encore de la lime, du citron et de l'huile d'olive… Les possibilités sont nombreuses. Si vous choisissez de ne pas mariner votre poisson et que vous craignez de le perdre, congelez-le en prenant soin d'inscrire la date de congélation. Et en portion individuelle, ça évite le gaspillage. »

5 POISSONS À PETIT PRIX

Voici 5 poissons à moins de 15 $ le kilo, soit le prix d'un kilo de viande hachée :

- Saumon surgelé :
  4 $ le kg
- Turbot surgelé :
  6 $ le kg
- Thon ou saumon en conserve :
  8 $ le kg
- Éperlan frais :
  9 $ le kg
- Brochet frais :
  11 $ le kg

PARENTS FUTÉS

« J'ai réussi à faire aimer le poisson à mes enfants en allant à la pêche avec eux. Ils capotent sur le fait de manger leur prise ! »

STEPHANIE DUCLOS

« Notre truc, c'est de laisser les enfants presser le citron. On en coupe des quartiers et mon fils a le droit d'en presser à volonté sur son poisson. C'est gagnant ! »

NATHALY PAGEAU

Josée Boudreault,
animatrice, maman de Chloé (12 ans), d'Annabelle (5 ans) et de Flavie (3 ans)

« Je m'arrange pour que mes filles soient affamées! Quand j'apprête un plat qui a moins de chance d'être apprécié, je le sers un peu plus tard. C'est magique, elles mangent! »

ALERTE AU MERCURE![10]

Certaines espèces de poissons présentent une grande concentration de mercure. Ainsi, mieux vaut ne pas consommer trop souvent le thon frais ou surgelé, le requin, l'espadon, le marlin, l'hoplostète orange (poisson empereur) et l'escolier. Le thon pâle en boîte présente moins de risque puisque le poisson utilisé pour faire des conserves est de plus petite taille que le thon frais ou congelé. Les enfants et les femmes en âge de procréer doivent toutefois consommer avec modération le thon blanc (albacore), car il est susceptible de contenir plus de mercure que les autres variétés de thon.

Vu Quang

Kim Thúy,
écrivaine, maman de Justin (13 ans) et de Valmont (11 ans)

« Il ne faut pas avoir peur des arêtes de poisson. Si on en mange une, ce n'est pas grave. On mange une boule de riz ou une boule de pain. En avalant, l'arête partira avec la boule! »

Au Québec, **on mange quatre fois plus de viande** que de poisson. Pourtant, le poisson représente une bonne source de protéines et contient moins de gras que la plupart des viandes. En plus, ce sont de bons gras![13]

71% **des Québécois** mangent des produits de la mer une fois par semaine[12].

✦ **L'AVIS DE LA PRO** ✦

Claudia Écrement,

psychologue, Clinique de psychologie St-Lambert

OBSERVEZ VOS ENFANTS

« Il est bon d'observer à quel moment son enfant résiste à la nouveauté. Ce peut être la fin de semaine, alors que notre horaire est moins structuré, ou encore le lundi, parce que la veille on l'a couché tard. Souvent, quand l'enfant est plus fatigué, il refuse ce qu'on met sur la table, peu importe ce que c'est. Parallèlement, cessez de vous demander à tout coup si votre enfant a mangé suffisamment de légumes. On peut se permettre des écarts dans une saine routine ! »

Collection personnelle

Chantal Lamarre,

animatrice et chroniqueuse, maman d'Agathe (10 ans) et de Timothée (8 ans)

« Ma mère et ma grand-mère me disaient : "Donne-leur-en jamais trop dans leur assiette ! S'ils trouvent ça bon, ils en redemandent et en redemandent." »

D'ICI ET D'AILLEURS

Jonathan Painchaud,
auteur-compositeur-interprète, papa de Téa (4 ans)

« Mon père était musicien, mais aussi prof de géographie. Donc tout petit, je jouais avec lui à découvrir les pays, les capitales, les drapeaux et les monnaies de chaque pays. J'ai acheté un globe terrestre à ma fille et, le matin, on fait le tour du monde. Nos amis viennent de plusieurs pays et on repère leur lieu d'origine. Dès qu'il y a quelque chose qui se passe dans l'actualité et qu'elle entend parler d'un pays, Téa dit : "Ah ! Ça, c'est notre ami Iman qui reste au Maroc…" »

Rima Elkouri,
chroniqueuse, mère de deux enfants (9 ans et 7 ans)

« Ma mère est Syrienne, d'origine arménienne. Et mon père est Sénégalais, d'origine libanaise. Les traditions culinaires se sont rendues jusqu'à… mon chum gaspésien ! C'est lui qui concocte la purée de poivrons rouges et la salade fatoush ! C'est aussi ça, le mélange des cultures. »

Globalement, **1 espèce de poisson sur 3** est menacée d'extinction et la moitié parvient tout juste à se renouveler. À l'épicerie, recherchez les « éco-étiquettes » qui indiquent que le poisson est issu de la pêche durable[11].

Pâté au saumon gratiné

4 PORTIONS • PRÉPARATION : 15 min • CUISSON : 20 min • PRIX : 2,63 $ / portion

INGRÉDIENTS VEDETTES

purée de pommes de terre

saumon en conserve

œufs

fromage râpé

chapelure à l'italienne

1 L (4 tasses) de purée de **pommes de terre** (voir page 80)

2 boîtes de 213 g (7,5 oz) de **saumon** égoutté, sans la peau et les arêtes ou 500 g (1 lb) de saumon cuit

2 **œufs**

500 ml (2 tasses) de **fromage mélange italien** râpé (200 g / 7 oz), divisé en 2

125 ml (1/2 tasse) de **chapelure** de blé entier à l'italienne

60 ml (1/4 tasse) de **son d'avoine** ou de chapelure de blé entier à l'italienne

15 ml (1 c. à soupe) d'**herbes de Provence** ou de fines herbes séchées à l'italienne

Poivre du moulin et **sel**

1. Placer la grille au centre du four et préchauffer le four à 200 °C (400 °F).
2. Dans un grand bol, mélanger la purée de pommes de terre, le saumon, les œufs et 250 ml (1 tasse) de fromage.
3. Ajouter la chapelure, le son d'avoine et les fines herbes. Poivrer généreusement et ajouter une pincée de sel. Bien mélanger pour obtenir une préparation homogène.
4. Transvider dans un plat carré d'environ 25 cm (10 po) et allant au four. Garnir avec le reste du fromage et enfourner 20 minutes.
5. Terminer la cuisson sous le gril (*broil*) 2 minutes ou jusqu'à ce que le fromage soit doré.
6. Servir avec une salade verte.
   Se conserve 2 jours au réfrigérateur et 2 mois au congélateur.

VALEURS NUTRITIVES
(par portion)

380 Calories
Protéines : 30 g
Lipides : 14 g
Glucides : 27 g
Fibres : 2 g
Sodium : 437 mg

Astuce : Lorsque vous préparez une purée de pommes de terre pour un pâté chinois (voir page 176) ou pour n'importe quel autre plat, doublez la recette afin de concocter rapidement ce pâté au saumon. Vous aurez un congé de popote durant la semaine !

Variante : Connaissez-vous le « patate-o-thon » ? Cette recette fait partie des souvenirs d'enfance d'Alexandra. Vous pouvez la recréer en remplaçant le saumon par du thon en conserve. Aussi simple que ça !

Bâtonnets de poisson pané et mayo au citron

4 PORTIONS • PRÉPARATION : 15 min • CUISSON : 20 min • PRIX : 2,33 $ / portion

INGRÉDIENTS VEDETTES

filets de poisson blanc surgelé

farine de maïs

œufs

flocons de maïs nature (de type Corn Flakes)

citron

POISSON

450 g (1 lb) de **filets de morue** surgelée issue de pêche durable

125 ml (1/2 tasse) de **farine de maïs**

Poivre du moulin et **sel**

2 **œufs**

750 ml (3 tasses) de **flocons de maïs** nature (de type Corn Flakes)

15 ml (1 c. à soupe) d'**herbes de Provence** ou de fines herbes séchées à l'italienne

10 ml (2 c. à thé) de **paprika** fumé doux

5 ml (1 c. à thé) de **cumin** moulu

Le zeste de 1 **citron**

MAYO AU CITRON

60 ml (1/4 tasse) de **mayonnaise** allégée

60 ml (1/4 tasse) de **yogourt grec** nature

Le jus de 1 **citron**

1. Placer la grille au centre du four et préchauffer le four à 200 °C (400 °F).
2. Couper la morue en bâtonnets de 2,5 cm (1 po) de largeur. Il est plus facile de couper des bâtonnets bien droits avec du poisson surgelé qu'avec du poisson frais ou décongelé.
3. Déposer la farine de maïs dans un bol. Poivrer généreusement et ajouter une pincée de sel.
4. Casser les œufs dans un deuxième bol et les battre à la fourchette.
5. Dans un troisième bol, écraser avec les doigts les flocons de maïs. Ajouter les fines herbes, le paprika, le cumin et le zeste de citron.
6. Tremper les bâtonnets de poisson dans la farine de maïs, dans l'œuf, puis dans le mélange de céréales.
7. Placer les bâtonnets sur une plaque de cuisson recouverte de papier parchemin. Cuire au four de 15 à 20 minutes ou jusqu'à ce que la croûte de céréales soit dorée.
8. Pendant ce temps, mélanger tous les ingrédients de la mayonnaise au citron.
9. Servir le poisson avec la mayo et accompagner d'une salade verte ou de crudités.
   Les bâtonnets doivent être consommés immédiatement, sinon la panure a tendance à ramollir. On peut par contre les faire cuire 12 minutes, les congeler (1 mois au maximum) et les faire cuire au four, encore congelés, pendant 15 minutes.

VALEURS NUTRITIVES
(par portion)

415 Calories
Protéines : 29 g
Lipides : 18 g
Glucides : 34 g
Fibres : 3 g
Sodium : 298 mg

Astuce : Pour convertir la mayo citronnée en sauce tartare, omettez le jus de citron et ajoutez 1 oignon vert haché et 15 ml (1 c. à soupe) de relish sucrée.

Variante : Vous pouvez préparer les bâtonnets avec un autre poisson blanc ou avec du saumon. Il est également possible de couper le poisson en petits cubes afin d'obtenir des bouchées de poisson pané, semblables au poulet pop-corn de la page 184.

En cas d'allergie aux œufs... Remplacez les œufs à l'étape 4 par 125 ml (1/2 tasse) de moutarde de Dijon. La panure sera par contre plus fragile. À manipuler avec soin !

Burger au saumon

4 PORTIONS • PRÉPARATION : 15 min • CUISSON : 10 min • PRIX : 3,86 $ / portion

INGRÉDIENTS VEDETTES

yogourt grec

citron

saumon en conserve

fromage suisse

œuf

SAUCE CITRONNÉE

125 ml (1/2 tasse) de **yogourt grec**

15 à 30 ml (1 à 2 c. à soupe) de **ciboulette fraîche** hachée

15 à 30 ml (1 à 2 c. à soupe) d'**aneth frais** haché

Le zeste de 1 **citron**

Poivre du moulin et **sel**

BURGER AU SAUMON

2 boîtes de **saumon** de 213 g (7,5 oz) chacune

125 ml (1/2 tasse) de **fromage suisse** râpé ou autre fromage (60 g / 2 oz)

125 ml (1/2 tasse) de **chapelure** de blé entier à l'italienne

1 **œuf**

Le jus de 1/2 **citron**

45 ml (3 c. à soupe) de **ciboulette fraîche** hachée

5 ml (1 c. à thé) d'**ail** haché

Poivre du moulin et **sel**

4 **pains kaiser** aux graines de pavot

GARNITURE

1 **tomate** en tranches

4 feuilles de **laitue frisée**

SAUCE CITRONNÉE

1. Mélanger tous les ingrédients de la sauce citronnée et réserver.

BURGER AU SAUMON

1. Pour une cuisson sur le barbecue, préchauffer ce dernier et huiler légèrement la grille.
2. Égoutter le saumon et enlever la peau et les arêtes, si désiré.
3. Dans un grand bol, mélanger à la fourchette le saumon, le fromage, la chapelure, l'œuf, le jus de citron, la ciboulette et l'ail. Poivrer généreusement et ajouter une pincée de sel.
4. Diviser la préparation en 4 et former des galettes.
5. Cuire les galettes 5 minutes de chaque côté sur le barbecue, à intensité élevée (ou dans un poêlon strié, à feu moyen-vif).
6. Trancher les pains sur le sens de l'épaisseur. Deux minutes avant la fin de la cuisson des galettes, les placer sur la grille du barbecue, la croûte vers l'extérieur.
7. Garnir les pains d'une galette de saumon, d'une tranche de tomate, d'une feuille de laitue et d'une généreuse portion de sauce citronnée. Servir avec des crudités ou une salade colorée.
Les galettes de saumon se conservent 2 jours au réfrigérateur ou 2 mois au congélateur. Assembler les burgers au moment de servir.

VALEURS NUTRITIVES
(par portion)

465 Calories
Protéines : 35 g
Lipides : 16 g
Glucides : 42 g
Fibres : 3 g
Sodium : 375 mg

Astuce : N'hésitez pas à varier les herbes fraîches selon ce que vous avez sous la main. Pendant la belle saison, profitez-en pour planter quelques fines herbes dans un pot que vous déposerez sur le balcon ou sur le bord d'une fenêtre. C'est une façon économique, écologique et agréable d'avoir des fines herbes en tout temps.

Variante : Cette recette peut être préparée avec un reste de poisson cuit. Si vous n'avez pas envie de servir le saumon en burger, servez-le en croquettes, tout simplement. Avec une belle salade et la sauce citronnée, vous aurez un plat frais et léger à vous mettre sous la dent.

Bouchées de saumon caramélisées

4 PORTIONS • PRÉPARATION : 10 min • CUISSON : 10 min • PRIX : 2,28 $ / portion

INGRÉDIENTS VEDETTES

marmelade à l'orange

moutarde de Dijon

miel

poivre et sel

filet de saumon

45 ml (3 c. à soupe) de **marmelade à l'orange** ou de tartinade à l'orange sans sucre ajouté (de type St. Dalfour)

30 ml (2 c. à soupe) de **moutarde de Dijon**

30 ml (2 c. à soupe) de **miel**

Poivre du moulin et **sel**

450 g (1 lb) de **saumon** frais sans la peau

1. Placer la grille au centre du four et préchauffer le gril (*broil*).
2. Dans un grand bol, mélanger la marmelade, la moutarde et le miel. Poivrer généreusement et ajouter une pincée de sel.
3. Couper le saumon en cubes de 2,5 cm (1 po).
4. Ajouter le poisson à la marinade et mélanger délicatement pour bien l'enrober.
5. Déposer le saumon sur une plaque de cuisson recouverte de papier parchemin et cuire de 8 à 10 minutes ou jusqu'à ce que le saumon soit doré et que les extrémités soient caramélisées.
6. Servir sur des vermicelles de riz et accompagner de légumes sautés.
   Se conserve 3 jours au réfrigérateur et ne se congèle pas.

VALEURS NUTRITIVES
(par portion)

279 Calories
Protéines : 23 g
Lipides : 12 g
Glucides : 19 g
Fibres : 0 g
Sodium : 197 mg

Astuce : Ces bouchées de saumon se mangent comme des bonbons ! C'est une recette tout indiquée pour les papilles frileuses et pour ceux qui n'aiment pas vraiment le poisson.

Variante : Vous pouvez préparer cette recette avec une autre sorte de poisson et même avec des crevettes crues décortiquées. Surveillez les arrivages et les aubaines à la poissonnerie. Vous manquez d'idées pour les canapés et les hors-d'œuvre ? Coupez le saumon en plus petits cubes et disposez-les dans une assiette avec des cure-dents. Vos invités seront ravis !

Couscous sucré-salé au tilapia

4 PORTIONS • PRÉPARATION : 10 min • CUISSON : 10 min • PRIX : 3,50 $ / portion

INGRÉDIENTS VEDETTES

semoule de blé entier (couscous sec)

filets de tilapia

poivron rouge

canneberges séchées

vinaigre de cidre

375 ml (1 1/2 tasse) de **jus de pomme**

125 ml (1/2 tasse) d'**eau**

250 ml (1 tasse) de **semoule de blé entier** (couscous sec)

400 g (14 oz) de **tilapia** (2 gros filets)

1/2 **poivron rouge** en dés

2 **oignons verts** hachés (parties blanche et verte)

1 branche de **céleri** haché

125 ml (1/2 tasse) de **canneberges** séchées

125 ml (1/2 tasse) de **raisins secs** ou d'abricots séchés et hachés

125 ml (1/2 tasse) de **noix de Grenoble** hachées (facultatif)

15 ml (1 c. à soupe) de **vinaigre de cidre**

Poivre du moulin et **sel**

1. Dans un grand bol, mélanger le jus et l'eau, couvrir d'une pellicule de plastique et chauffer au four à micro-ondes de 4 à 5 minutes ou jusqu'à ce que le liquide soit bouillant.
2. Retirer la pellicule plastique et ajouter la semoule de blé. Laisser reposer 10 minutes ou jusqu'à ce que le couscous ait absorbé tout le liquide.
3. Pendant ce temps, placer le tilapia entre deux feuilles de papier absorbant (essuie-tout) et cuire au four à micro-ondes de 3 à 4 minutes ou jusqu'à ce que la chair du poisson soit opaque, mais encore humide. Éviter de trop cuire, sinon le poisson deviendra sec et caoutchouteux.
4. Aérer le couscous à la fourchette et y déposer le poivron, les oignons verts et le céleri. Défaire le tilapia à la fourchette et l'ajouter au couscous. Incorporer les canneberges, les raisins, les noix et le vinaigre. Poivrer généreusement, ajouter une pincée de sel et bien mélanger.
5. Servir tiède ou froid.
   Se conserve 2 jours au réfrigérateur et ne se congèle pas.

VALEURS NUTRITIVES (par portion)

450 Calories
Protéines : 20 g
Lipides : 10 g
Glucides : 70 g
Fibres : 6 g
Sodium : 90 mg

Astuce : Les restes seront délicieux dans les lunchs. N'ajoutez toutefois pas de noix dans le couscous d'un enfant qui fréquente l'école primaire.

Variante : Vous pouvez remplacer le tilapia par des crevettes nordiques cuites ou un reste de poulet grillé. Ce sera tout aussi délicieux !

Filet de tilapia en croûte fromagée

4 PORTIONS POUR LE SOUPER ET 4 PORTIONS POUR LE LUNCH
PRÉPARATION : 15 min • CUISSON : 15 min • PRIX : 2,43 $/portion

INGRÉDIENTS VEDETTES

filets de tilapia

fromage mozzarella

fromage parmesan

pâte de tomate

chapelure italienne

800 g (1 2/3 lb) de filets de **tilapia** (6 filets)

250 ml (1 tasse) de **mozzarella** râpé (100 g / 3,5 oz)

60 ml (1/4 tasse) de **parmesan** râpé (30 g / 1 oz)

60 ml (1/4 tasse) de **pâte de tomate**

45 ml (3 c. à soupe) de **chapelure** de blé entier à l'italienne

15 ml (1 c. à soupe) d'**herbes de Provence** ou de fines herbes séchées à l'italienne

15 ml (1 c. à soupe) de **paprika**

Poivre du moulin

1. Placer la grille au centre du four et préchauffer le four à 190 ºC (375 ºF).
2. Couper les filets de tilapia en deux sur le sens de la longueur et les placer sur une plaque de cuisson recouverte de papier parchemin.
3. Dans un bol moyen, mélanger les fromages, la pâte de tomate, la chapelure, les herbes et le paprika. Poivrer généreusement. Répartir la garniture sur les filets de poisson.
4. Cuire au four 15 minutes ou jusqu'à ce que la garniture soit dorée et croustillante. Servir avec une salade verte et du riz.
5. Conserver 4 morceaux de tilapia cuits en croûte fromagée pour préparer la recette de croquettes de tilapia (voir variante).
   Les filets se conservent 2 jours au réfrigérateur ou 2 mois au congélateur.

Astuce : Qui n'aime pas être « au-dessus de ses affaires » ? Avec ce coup double, vous pourrez préparer des croquettes de tilapia (voir variante) à emporter dans la boîte à lunch ou à servir au souper. Et voilà un congé de cuisine pour un autre soir de semaine !

Variante : Pour préparer les croquettes de tilapia, placez la grille au centre du four et préchauffez le four à 200 ºC (400 ºF). Dans un grand bol, émiettez à la fourchette 2 filets de tilapia cuits en croûte fromagée. Incorporez 125 ml (1/2 tasse) de mozzarella râpé, 1 œuf, 60 ml (1/4 tasse) de basilic frais haché finement et 30 ml (2 c. à soupe) de chapelure de blé entier à l'italienne. Divisez la préparation en 8 et façonnez des galettes que vous déposerez sur une plaque de cuisson recouverte de papier parchemin. Faites cuire au four 15 minutes ou jusqu'à ce que les galettes soient dorées. Se mange chaud ou froid. Servez avec une mayonnaise piquante et des crudités. Pour préparer une mayonnaise piquante, il suffit d'ajouter quelques gouttes de sauce Sriracha (ou de Tabasco) dans un peu de mayo allégée.

VALEURS NUTRITIVES
(par portion)

160 Calories
Protéines : 24 g
Lipides : 5 g
Glucides : 5 g
Fibres : 1 g
Sodium : 230 mg

Rondins d'aiglefin au prosciutto

8 PORTIONS • PRÉPARATION : 10 min • CUISSON : 10 min • PRIX : 2,33 $ / portion

INGRÉDIENTS VEDETTES

tranches de prosciutto

filet d'aiglefin

pesto de basilic

bocconcini

poivre du moulin

8 grandes tranches de **prosciutto**

450 g (1 lb) d'**aiglefin** surgelé issu de pêche durable, partiellement décongelé et épongé

45 ml (3 c. à soupe) de **pesto de basilic**

8 boules de mini **bocconcini** ou 4 boules de bocconcini régulier, en tranches

Poivre du moulin

1. Placer la grille au centre du four et préchauffer le four à 200 ºC (400 ºF).
2. Répartir le prosciutto sur une grande plaque de cuisson recouverte de papier parchemin.
3. Diviser l'aiglefin en 8 bâtonnets égaux. Placer un bâtonnet sur chaque tranche de prosciutto, en diagonale.
4. Étendre environ 5 ml (1 c. à thé) de pesto sur chaque bâtonnet, couvrir de tranches de bocconcini et poivrer généreusement.
5. Plier le prosciutto pour bien recouvrir les bâtonnets de poisson.
6. Cuire au four 10 minutes. Si désiré, terminer la cuisson sous le gril (*broil*) pour que le prosciutto soit plus croustillant.
7. Servir avec une salade garnie de légumes colorés et du pain baguette.
   Se conserve 2 jours au réfrigérateur et ne se congèle pas.

VALEURS NUTRITIVES
(par portion)

181 Calories
Protéines : 20 g
Lipides : 5 g
Glucides : 1 g
Fibres : 0 g
Sodium : 390 mg

Astuce : N'ajoutez pas de sel à cette recette : le prosciutto et le pesto sont déjà amplement salés.

Variante : Vous pouvez remplacer le bocconcini par du fromage de chèvre, mais évitez le fromage salé, comme le parmesan et la mozzarella. La recette serait alors trop salée. Pour faire changement, optez pour un pesto de tomates séchées.

BEAU, BON, PAS CHER

Économiser, c'est bon pour tous, c'est logique et écologique. En planifiant mieux nos achats et en évitant le gaspillage, on fait un petit pas pour la planète et un grand pas pour notre budget! Le hic, c'est qu'on oublie d'inculquer cette valeur à nos petits. Heureusement, on peut ajuster le tir en tout temps... idéalement dès nos prochaines emplettes!

 Le point de vue de Geneviève

Je me souviens de mes premières épiceries… J'habitais
en appartement, j'étais aux études à temps complet et
je travaillais comme caissière dans une pharmacie.
Pas besoin de vous dire que je devais étirer mon budget
pas à peu près!

À cette époque, plusieurs copines étaient dans la même situation que moi et nous
échangions des trucs pour faire plus avec moins. Mes amies qui habitaient dans
les résidences universitaires, avec seulement un mini-frigo et un grille-pain four pour
se débrouiller, avaient toute mon admiration. Si elles arrivaient à s'en sortir avec
un budget microscopique et une cuisine rudimentaire, je le pouvais aussi.

Je me suis mise à surveiller les aubaines à l'épicerie, à acheter les fruits «poqués»
vendus à rabais, à négocier les légumes au marché public, à m'aventurer dans
une épicerie ethnique parce que le poisson y était meilleur marché… Mais surtout,
je me suis mise à cuisiner. De la farine, ça ne coûte pas cher et c'est fou tout ce
qu'on peut faire avec un sac de 2 kg.

Aujourd'hui, mon salaire n'est plus le même, mais j'ai conservé les mêmes réflexes.
Je cuisine en grande quantité, j'achète en suivant les saisons, je surveille les aubaines…
et chaque dollar économisé me permet de gâter un peu ma famille.

Le point de vue d'Alexandra

Je n'ai jamais appris à gérer un budget. Je suis une consommatrice compulsive et honteuse. Comme plusieurs, je me suis souvent dit: « Je peux couper partout, mais pas dans la bonne bouffe ! » Avec la conséquence de trop acheter, de perdre des aliments et de m'en vouloir après coup.

Je ne sais pas d'où vient ce besoin d'abondance, mais lorsque le frigo était plein à n'en plus voir la petite lumière au fond, je me sentais bien.

Je ne faisais jamais les courses en sachant à l'avance ce qu'on allait manger. Le soir, j'ouvrais toujours le frigo une demi-heure avant que l'on s'attable. Eh bien, plus maintenant !

Avec Geneviève, ma partenaire adorée, j'ai appris à structurer mon alimentation et à planifier mes achats, même si je suis encore sujette à des rechutes ! Cette nouvelle façon de faire a réduit notre facture d'épicerie du tiers. Je me suis épargné des années de thérapies grâce à ses conseils. J'aime désormais voir venir un peu plus. J'aime avoir sous la main le répertoire de mes plats chouchous et les anticiper au lieu de les oublier. J'aime récupérer, mais surtout savoir comment ne pas jeter d'aliments. Mes livres de recettes ne sont plus que des lectures de chevet, mais des livres usés et pleins de sauce tomate. J'aime la légèreté que procure le sentiment de mieux savoir où je m'en vais dans la semaine qui vient, avec les 21 repas à préparer. Aujourd'hui, je me sens assez bien merci quand je vois réapparaître la petit lumière du frigo.

La réalité, c'est que manger coûte **de plus en plus cher**... En 2010, il fallait 6,90 $ par jour pour couvrir les besoins alimentaires de base d'une personne alors qu'en 2013, c'est 7,95 $. Vivement des trucs pour économiser![15]

Kim Thúy,
écrivaine, maman de Justin (13 ans) et de Valmont (11 ans)

« Le meilleur "deal" pour les fruits et les légumes, c'est ceux qu'on trouve en solde. Ils sont un peu maganés, mais encore très bons pour une consommation immédiate. »

5 « BONS DÉPANNEURS » PAS CHERS À AVOIR DANS LE GARDE-MANGER

- **Des boîtes de légumineuses** (lentilles, pois chiches, haricots rouges ou blancs) – pour les salades, les soupes, les pâtes et les mijotés
- **Des boîtes de poisson** (thon, saumon) – pour les salades, les sandwichs, les gratins, les pâtes
- **Des boîtes de tomates** (entières, broyées, en dés) – pour les soupes, les sauces pour pâtes, le chili
- **Du riz, des pâtes et du couscous** – pour les salades et les plats principaux soutenants
- **Des pommes de terre** – pour le pâté chinois, le pâté au saumon, les potages, les gratins et les mijotés

FAITES-LE VOUS-MÊME

Lorsque le budget est serré, on n'a sûrement pas les moyens de payer quelqu'un pour cuisiner à notre place. C'est pourtant ce qui se passe lorsqu'on achète des aliments prêts à manger. Ils coûtent plus cher parce qu'il faut payer la transformation de l'aliment. Par exemple, une boîte de biscuits à l'avoine coûte 3,99 $. Pour ce même prix, on peut obtenir 2 kg de flocons d'avoine, soit assez pour cuisiner plus de 150 biscuits ! Et en changeant un peu ses habitudes de consommation, on peut économiser beaucoup. Par exemple, le bœuf haché mi-maigre coûte environ 8 $ le kilo alors que les haricots rouges en conserve coûtent moins de 2 $ le kilo.

✦ L'AVIS DE LA PRO ✦

Diane Bérard,

chroniqueuse, journal *Les Affaires*

COMMENT ENSEIGNER LA VALEUR DE L'ARGENT À SES ENFANTS?

« Face à l'argent, les enfants n'auront jamais un niveau de conscience plus élevé que celui de leurs parents. Il faut bien gérer nos propres sous afin de leur enseigner à bien gérer les leurs.

Une règle à laquelle on ne pense pas en alimentation, c'est que dans la vie, on a soit du temps, soit de l'argent. Rarement les deux. Il faut enseigner à ses enfants qu'il n'y a pas de miracles et que si tu veux que ton épicerie ne te coûte pas trop cher, il faut que tu prennes le temps de la faire, de choisir, de comparer les prix, de réfléchir… On choisit les carottes déjà transformées ou celles moins chères qu'on va éplucher? Si on n'a jamais parlé à son enfant de la valeur des fruits et légumes, la première fois qu'il fera son épicerie, il ignorera totalement la valeur de ce qu'il choisira.

Souvent, on évite d'aller à l'épicerie avec notre enfant parce que c'est trop de trouble, parce qu'on veut opérer vite ou parce qu'on veut éviter les demandes répétées du petit. Au contraire! L'idée, c'est de lui apprendre à gérer ses désirs et ses besoins. Un truc pour réussir à dire non aux demandes liées aux désirs de son enfant est de retarder l'achat en lui expliquant: "On est payés aux deux semaines, on s'en reparlera la semaine prochaine." Parce qu'un jour, il devra attendre lui-même sa prochaine paye pour se procurer ce qu'il souhaite! »

5 SOURCES DE PROTÉINES À 1$ OU MOINS PAR PORTION

- **Les œufs** – 0,50 $ par portion de 2 œufs
- **Le tofu** – 0,53 $ par portion de 100 g (1/3 bloc)
- **Le thon** en conserve – 0,44 $ par portion de 85 g (1/2 boîte)
- **Les légumineuses** – 0,86 $ par portion de 250 ml (1/2 boîte)
- **Le bœuf haché régulier** – 1,00 $ par portion de 120 g (4 oz)

PARENTS FUTÉS

« Il faut connaître les soldes annuels. Le homard, c'est cher, mais pas à la fête des Pères. Après Noël, la dinde est étiquetée à 0,99 $ la livre. Tu peux faire 50 repas avec une dinde! »

HÉLÈNE GIRARD, MAMAN DE CASSANDRE (7 ANS) ET D'ODANIE (2 ANS)

✤ L'AVIS DE LA PRO ✤

Diane Bérard,
chroniqueuse, journal *Les Affaires*

NOS ENFANTS ET L'ARGENT

De 5 à 8 ans : On commence à introduire des notions d'argent en expliquant que les choses ont un prix et qu'on gagne de l'argent en travaillant. Lorsqu'on va au guichet automatique, le guichet ne nous donne pas l'argent. Le guichet va chercher de l'argent qu'on a obtenu en travaillant. C'est notre argent, ce n'est pas l'argent de quelqu'un d'autre. On commence à parler du fait qu'on travaille, qu'on reçoit un salaire et qu'avec cet argent, on paie la maison, l'épicerie, les vacances, les jouets. On explique aussi la différence entre ce qui est indispensable et ce qui est superflu, ce qui est un besoin et ce qui est un désir.

De 8 à 10 ans : On commence à se servir de l'épicerie, de la pharmacie et du dépanneur comme école, comme laboratoire. Combien a-t-on d'articles pour 5 $, 10 $, 20 $? On fait des choix. « Cette semaine, est-ce qu'on achète le melon miel ou le cantaloup ? Regarde les prix, et dis-moi ce que tu en penses. » Ça devient très concret.

À partir de 10 ans : On introduit la notion d'épargne. Il faut économiser pour avoir ce que l'on veut. On apprend à notre enfant à repousser ses désirs et son plaisir.

De 10 à 14 ans : On poursuit la notion d'épargne et de patience et on commence à introduire la notion de charité, de partage. On peut dire à son enfant de choisir une cause et de faire un don, si petit soit-il. Est-ce qu'il aime les animaux ? La nature ? Peu importe, on commence à le sensibiliser. Des citoyens responsables, ça se forme tôt.

À 14 ans : On commence à parler d'investissement. « L'argent, tu peux l'économiser, mais tu peux aussi le faire fructifier. Un jour, tu vas peut-être vouloir suivre des cours de conduite, avoir une voiture, voyager... » On guide notre enfant vers un premier petit placement. On va à la banque avec lui, on évalue les options et on fait quelques projections.

À 16 ans : On parle d'impôts et de redistribution des richesses. On se sert de ce qui se passe dans l'actualité et on initie notre ado aux grands débats de société. On parle de salaire, de la pauvreté, de la corruption, de l'évasion fiscale, des parachutes dorés... Selon nos propres champs d'intérêt. On lui explique que c'est grâce à nos impôts qu'on peut s'offrir des infrastructures comme la bibliothèque, le parc, la piscine municipale...

LE PARENT QUE JE SUIS

Claudette Taillefer,
maman de Pierre-André (51 ans), de Marie-Josée (50 ans) et de Carl (47 ans) et grand-maman !

« Chez mes petits-enfants, je me mêle de mes affaires; je n'interviens pas dans les choix de mes enfants, mais je suis toujours là pour leur offrir mon soutien. »

Pascale Wilhelmy,
animatrice, maman de Lola (25 ans) et de Romain (19 ans)

« Je n'ai jamais vu mon rôle de mère comme difficile ou accaparant. Ma manière d'être ajoute de la désinvolture à la vie familiales et mon optimisme fait aimer la vie à mes enfants. »

François Hamelin,
juge, papa de Pierre-Marc (35 ans), de Marie-Noëlle (33 ans) et de Justine (30 ans)

« C'est important d'être un parent authentique et de respecter sa personnalité. Je suis de nature permissive. Si j'avais tenté d'être directif, j'aurai été plutôt inefficace. On ne peut aller contre ses propres traits de caractère. »

« Avant d'être père, j'étais un bougalou, un bohème. Ça a été un choc, la paternité. J'ai trouvé mon chemin de père en appliquant ce que dit Jacques Grand'Maison dans

Une philosophie de vie: quand on devient père, on a créé une nouvelle personne et on a le devoir de faire passer cette personne-là du stade dépendant à totalement indépendant, autonome. Ça m'a permis de voir l'éducation comme une pratique à la liberté. »

Pâté chinois réinventé

6 PORTIONS • PRÉPARATION : 30 min • CUISSON : 45 à 60 min • PRIX : 2,43 $ / portion

INGRÉDIENTS VEDETTES

pommes de terre jaunes

fromage suisse

bœuf haché

lentilles cuites

maïs surgelé

675 g (1 1/3 lb) de **pommes de terre jaunes** de type Yukon Gold (6 moyennes), pelées et coupées en gros cubes

180 ml (3/4 tasse) de **fromage suisse** râpé (75 g / 2,5 oz)

30 ml (2 c. à soupe) de **beurre**

60 ml (1/4 tasse) de **lait**

5 ml (1 c. à thé) d'**herbes de Provence**

Poivre du moulin et **sel**

5 ml (1 c. à thé) d'**huile végétale**

1 petit **oignon jaune** haché finement

350 g (3/4 lb) de **bœuf haché**

1 boîte de 540 ml (19 oz) de **lentilles** rincées et égouttées

30 ml (2 c. à soupe) de **sauce soya**

30 ml (2 c. à soupe) d'**eau**

10 ml (2 c. à thé) de **sauce anglaise** (de type Worcestershire)

30 ml (2 c. à soupe) d'**herbes de Provence**

750 ml (3 tasses) de **maïs** surgelé, divisé en 2

80 ml (1/3 tasse) d'**eau**

1. Dans une casserole moyenne, déposer les cubes de pommes de terre et couvrir d'eau. Porter à ébullition, couvrir et cuire à feu moyen 25 minutes. Égoutter et piler. Ajouter le fromage, le beurre, le lait et les herbes, poivrer, saler et mélanger. Réserver.
2. Verser l'huile dans un grand poêlon antiadhésif et cuire les oignons 5 minutes à feu moyen-vif. Ajouter le bœuf, bien l'égrainer avec une cuillère de bois et laisser dorer 5 minutes sans remuer. Incorporer les lentilles et écraser à la fourchette, puis ajouter la sauce soya, l'eau, la sauce anglaise, les herbes et poivrer généreusement. Laisser réduire jusqu'à ce que le liquide soit presque complètement évaporé (environ 5 minutes).
3. Dans un plat allant au four à micro-ondes, mélanger la moitié du maïs avec l'eau. Couvrir d'une pellicule de plastique et cuire 5 minutes au four à micro-ondes. Retirer la pellicule, ne pas égoutter et réduire en purée à l'aide d'un pied-mélangeur ou d'un mélangeur électrique (*blender*).
4. Placer la grille au centre du four et préchauffer le four à 180 °C (350 °F). Dans un plat allant au four (environ 20 cm sur 25 cm), étendre le mélange de bœuf et de lentilles. Répartir le maïs entier et encore surgelé, verser ensuite la purée de maïs et terminer avec la purée de pommes de terre.
6. Cuire au four de 15 à 20 minutes ou jusqu'à ce que le pâté soit doré et servir. Se conserve 4 jours au réfrigérateur ou 3 mois au congélateur. Du congélateur directement au four, prévoir 1 heure de cuisson ou 40 minutes si décongelé.

VALEURS NUTRITIVES
(par portion)

379 Calories
Protéines: 22 g
Lipides: 13 g
Glucides: 43 g
Fibres: 7 g
Sodium: 316 mg

Astuce : Les pommes de terre jaunes de type Yukon Gold font les meilleures purées ! Pour économiser, utilisez du bœuf haché régulier : faites-le cuire avec les oignons et égouttez-le avant d'ajouter les lentilles.

Variante : Vous pouvez faire des petits pâtés chinois individuels. Procurez-vous des ramequins équivalents à une portion. Assemblez les pâtés chinois, recouvrez-les de papier d'aluminium et congelez-les. Ils seront plus rapides à cuire. Du congélateur directement au four, prévoir 20 minutes de cuisson.

Potage « ménage du frigo »

8 PORTIONS • PRÉPARATION : 20 min • CUISSON : 25 min
PRIX : 0,80 $ / portion (sans garniture) • PRIX : 1,60 $ / portion (avec garniture)

INGRÉDIENTS VEDETTES

patate douce

brocoli

carottes

bouillon de poulet

haricots blancs cuits

VALEURS NUTRITIVES
(par portion)

179 Calories
Protéines : 10 g
Lipides : 4 g
Glucides : 26 g
Fibres : 6 g
Sodium : 283 mg

POTAGE

15 ml (1 c. à soupe) d'**huile d'olive**

5 ml (1 c. à thé) de **cari** en poudre

1 gros **oignon** coupé en huit

1 **patate douce** moyenne pelée et coupée en cubes

2 pieds de **brocoli** (sans les fleurons) coupés en gros morceaux

2 **carottes** moyennes non pelées et coupées en gros morceaux

1,5 L (6 tasses) de **bouillon de poulet** maison ou du commerce, réduit en sodium

1 boîte de 540 ml (19 oz) de **haricots blancs** rincés et égouttés

Poivre du moulin

GARNITURE (FACULTATIF)

1 boîte de 200 à 250 ml (10 oz) de **crème végétale de soya**, de millet ou de riz

CROÛTONS MAISON

Emporte-pièce pour biscuits de différentes formes

15 ml (1 c. à soupe) d'**huile d'olive**

15 ml (1 c. à soupe) de **sirop d'érable** ou de miel

8 tranches de **pain de seigle** ou autre type de pain

Gros sel

POTAGE

1. Dans une grande casserole, chauffer l'huile et le cari à feu moyen-vif. Ajouter l'oignon et cuire 5 minutes en remuant à quelques reprises.
2. Ajouter la patate douce, le brocoli, les carottes, le bouillon et les haricots. Couvrir et laisser mijoter à feu moyen 20 minutes ou jusqu'à ce que les légumes soient tendres.
3. Passer au mélangeur électrique (*blender*) pour réduire en purée. Poivrer généreusement.
4. Servir et garnir chaque portion d'un filet de crème végétale et de croûtons maison si désiré. Le potage se conserve 4 jours au réfrigérateur ou 3 mois au congélateur.

CROÛTONS MAISON

1. Placer la grille au centre du four et préchauffer le gril du four (*broil*).
2. Dans un petit bol, mélanger l'huile et le sirop d'érable. Étendre sur les tranches de pain à l'aide d'un pinceau de cuisine.
3. À l'aide d'emporte-pièce, tailler différentes formes dans les tranches de pain. Placer sur une plaque de cuisson, saupoudrer de sel et dorer de 2 à 3 minutes sous le gril.
4. Au moment de servir, déposer le croûton au centre du bol pour qu'il flotte sur le potage.

Astuces : Chaque semaine, prenez l'habitude de faire le ménage du tiroir à légumes de votre frigo. C'est fou tous les légumes que l'on jette et qui peuvent avoir une deuxième vie. La crème végétale contient trois fois moins de gras saturés que la crème 15 % et elle possède la texture de la crème 35 %. À l'épicerie, on la trouve dans la section des aliments biologiques.

Variante : Variez les légumes selon ce que vous avez dans le frigo. Chou-fleur, poireaux, courgettes, épinards et champignons seront aussi très bons dans ce potage. Toutefois, le concombre et la tomate ne conviennent pas pour cette recette.

Frites au four

6 PORTIONS · PRÉPARATION : 10 min · CUISSON : 20 min · PRIX : 0,31 $ / portion

INGRÉDIENTS VEDETTES

pommes de terre rouge

huile d'olive

fines herbes séchées

paprika fumé

poudre d'ail

675 g (1 1/3 lb) de **pommes de terre rouges**, lavées et non épluchées (6 moyennes)

30 ml (2 c. à soupe) d'**huile d'olive**

5 ml (1 c. à thé) d'**herbes de Provence** ou de fines herbes séchées à l'italienne

5 ml (1 c. à thé) de **paprika fumé** doux

2,5 ml (1/2 c. à thé) de **poudre d'ail**

Poivre du moulin et **sel**

1. Placer la grille au centre du four et préchauffer le four à 200 ºC (400 ºF).
2. Couper les pommes de terre en bâtonnets ou en quartiers (en 8 sur le sens de la longueur).
3. Dans un grand bol, mélanger l'huile, les fines herbes, le paprika et la poudre d'ail. Poivrer généreusement et ajouter une pincée de sel.
4. Incorporer les pommes de terre et mélanger pour bien enrober.
5. Transvider sur une plaque de cuisson recouverte de papier parchemin. Distribuer les pommes de terre pour éviter qu'elles ne se touchent.
6. Cuire au four 20 minutes ou jusqu'à ce que les pommes de terre soient dorées.
7. Si désiré, terminer la cuisson 3 minutes sous le gril (*broil*) pour des frites plus croustillantes. Servir immédiatement.

VALEURS NUTRITIVES
(par portion)

261 Calories
Protéines : 7 g
Lipides : 10 g
Glucides : 38 g
Fibres : 6 g
Sodium : 98 mg

Astuce : Pour des frites de taille uniforme, vous pouvez utiliser un coupe-frites. Celui que nous avons utilisé à la télévision est de marque Starfrit (valeur de 20 $). Vous trouverez des coupe-frites dans les magasins de grande surface et dans les boutiques d'articles de cuisine.

Variante : Osez varier les assaisonnements sur vos frites ! Il n'y a pas que le sel dans la vie... Le paprika fumé (aussi nommé pimenton) ajoute beaucoup de saveur, mais vous pouvez le remplacer par du cari, des épices cajuns, du ras-el-hanout (mélange d'épices marocain) ou du zaatar (mélange d'épices libanais). On trouve ces mélanges d'épices dans les épiceries ethniques et dans certains supermarchés. Demandez-les !

Ketchup maison

8 PORTIONS • PRÉPARATION : 20 min • CUISSON : 40 min • PRIX : 0,33 $ / portion

INGRÉDIENTS VEDETTES

oignon jaune

gousse d'ail

vinaigre de cidre

cassonade

tomates en conserve

5 ml (1 c. à thé) d'**huile végétale**

1/2 **oignon jaune** haché grossièrement

1 gousse d'**ail** hachée grossièrement

60 ml (1/4 tasse) de **vinaigre de cidre**

30 ml (2 c. à soupe) de **cassonade** légèrement tassée

375 ml (1 1/2 tasse) de **tomates broyées** en conserve

Poivre du moulin et **sel**

1. Dans une casserole moyenne, faire chauffer l'huile et cuire l'oignon avec l'ail à feu moyen 10 minutes ou jusqu'à ce que l'oignon soit doré.
2. Ajouter le vinaigre, la cassonade et les tomates, poivrer généreusement et ajouter une pincée de sel. Porter à ébullition, puis réduire à feu doux. Laisser mijoter 30 minutes à découvert en remuant de temps en temps.
3. Transvider dans le mélangeur électrique (*blender*) et réduire en une purée lisse à la puissance maximale. Transvider dans un petit bol, couvrir et réfrigérer. Donne 375 ml (1 1/2 tasse) de ketchup.
4. Servir froid avec les frites en remplacement du ketchup du commerce.
Se conserve 10 jours au réfrigérateur ou 2 mois au congélateur. Repasser au mélangeur une fois décongelé.

VALEURS NUTRITIVES
(par portion)

39 Calories
Protéines : 1 g
Lipides : 1 g
Glucides : 8 g
Fibres : 1 g
Sodium : 87 mg

Astuce : Ce ketchup maison imite le goût du ketchup du commerce, tout en étant 2 fois moins sucré et 7 fois moins salé ! Pour que l'illusion soit encore plus parfaite, conservez votre ketchup maison dans un vieux contenant de ketchup en verre (de type Heinz), bien lavé et séché.

Variante : Votre famille aime les sensations fortes ? N'hésitez pas à ajouter quelques gouttes de sauce piquante (de type Tabasco ou Chipotle) à votre ketchup maison. Les ados aux papilles audacieuses en seront fous !

Poulet popcorn

4 PORTIONS • PRÉPARATION : 20 min • CUISSON : 10 min • PRIX : 1,90 $ / portion

INGRÉDIENTS VEDETTES

tranches de pain blanc

flocons de riz grillé (de type Spécial K)

œufs

farine de blé entier

poitrines de poulet désossées sans la peau

VALEURS NUTRITIVES
(par portion)

270 Calories
Protéines : 35 g
Lipides : 5 g
Glucides : 22 g
Fibres : 4 g
Sodium : 355 mg

6 **tranches de pain** frais (de type Smart)

500 ml (2 tasses) de **flocons de riz grillé** (de type Spécial K)

60 ml (1/4 tasse) de **parmesan** fraîchement râpé (30 g / 1 oz)

5 ml (1 c. à thé) de **paprika fumé** doux

2,5 ml (1/2 c. à thé) de **poudre d'ail**

2 **œufs**

15 ml (1 c. à soupe) de **moutarde de Dijon**

150 ml (2/3 tasse) de **farine de blé entier**

Poivre du moulin et **sel**

625 g (1 1/4 lb) de **poitrines de poulet** désossées sans la peau (4 poitrines)

1. Placer la grille au centre du four et préchauffer le four à 200 ºC (400 ºF).
2. Au robot culinaire, réduire le pain frais en chapelure. Ajouter les céréales, le fromage, le paprika fumé et la poudre d'ail. Pulser quelques secondes pour concasser les céréales sans les réduire en poudre. Transvider le mélange de chapelure dans un grand bol.
3. Dans un autre bol, battre les œufs à la fourchette avec la moutarde.
4. Dans un troisième bol, verser la farine, poivrer généreusement et ajouter une pincée de sel.
5. Couper le poulet en dés d'environ 1,25 cm (1/2 po). Passer les dés de poulet (une dizaine à la fois) dans la farine en remuant pour bien les enrober.
6. Les tremper ensuite dans les œufs battus, puis les enrober du mélange de chapelure. Ne pas secouer l'excédent. Un surplus de panure sur chaque morceau est souhaitable pour créer l'effet croustillant. Étendre le poulet sur une grande plaque de cuisson recouverte de papier parchemin. Prévoir un peu d'espace entre chaque morceau de poulet pour une cuisson uniforme et un résultat plus croustillant.
7. Cuire au centre du four 10 minutes ou jusqu'à ce que le poulet soit doré. Surveiller en fin de cuisson. Servir immédiatement avec des crudités.

Astuces : Pour congeler la recette, faites cuire une première fois 6 ou 7 minutes, puis congelez sur une plaque avant de transvider dans un sac hermétique. Au moment de cuire, passez au four 10 minutes ou jusqu'à ce que l'intérieur d'un morceau soit chaud. Ne pas décongeler au préalable. Pour cette recette, il est important de choisir du pain frais et non de la chapelure de pain sec. Avec du pain frais, la panure sera plus légère et plus volumineuse, et créera ainsi l'effet croustillant sans l'utilisation d'une friteuse.

Variantes : Pour un burger au poulet pané, coupez 2 grosses poitrines coupées en 2 sur le sens de la longueur. Aplatissez-les ensuite avec un rouleau à pâtisserie recouvert de pellicule de plastique pour former 4 pavés de poulet. Trempez les morceaux de poulet en alternance dans la farine, les œufs et les céréales. Déposez sur une plaque de cuisson et cuire au four de 25 à 30 minutes à 180 °C (350 °F).

Pâtes à la saucisse italienne

6 PORTIONS · PRÉPARATION : 10 min · CUISSON : 20 min · PRIX : 2,06 $ / portion

INGRÉDIENTS VEDETTES

rotinis de blé entier

courgette verte

lentilles cuites

saucisses italiennes

coulis de tomate

1 boîte de 350 g (12 oz) de **rotinis** de blé entier (ou autre pâte courte), soit 1 L (4 tasses) de pâtes sèches

1 **oignon rouge** coupé en 4

1 **courgette verte** (zucchini) coupée en 4

1 boîte de 540 ml (19 oz) de **lentilles** rincées et égouttées

450 g (1 lb) de **saucisses italiennes** douces ou piquantes (4 moyennes)

1 pot d'environ 700 ml (23 oz) de **coulis de tomate** ou de sauce tomate nature

Poivre du moulin et **sel**

Parmesan fraîchement râpé (au goût)

1. Cuire les pâtes selon le mode d'emploi sur l'emballage. Elles doivent être *al dente* (cuites, mais encore fermes). Égoutter et réserver.
2. Pendant ce temps, hacher finement l'oignon et la courgette au robot culinaire. Ajouter les lentilles et mélanger pour réduire en purée.
3. Retirer le boyau des saucisses et déposer la chair dans le robot. Mixer pour bien incorporer aux autres ingrédients. Transvider dans un grand poêlon antiadhésif et cuire à feu moyen-vif pour bien dorer la viande, soit environ 10 minutes.
4. Ajouter le coulis de tomate, remuer et laisser mijoter 5 minutes à feu moyen-doux. Poivrer généreusement et ajouter une pincée de sel.
5. Incorporer les pâtes cuites dans le poêlon, mélanger, garnir de parmesan et placer sur un sous-plat au centre de la table. Laisser chacun se servir.

Se conserve 2 jours au réfrigérateur ou 3 mois au congélateur.

Astuces : Pour cette recette, j'aime utiliser deux saucisses douces et deux saucisses piquantes, pour que la sauce soit un peu relevée, sans être trop forte pour les papilles fragiles des enfants. Cette recette est aussi parfaite pour « passer » des pâtes de blé entier, on ne s'en aperçoit pas, ou à peine !

Variante : Vous pouvez préparer ces pâtes avec d'autres sortes de saucisses et varier les légumes : poivrons, champignons et carottes se dissimulent avec brio dans cette recette. Et pourquoi ne pas gratiner chaque portion ?

En cas d'allergie... Remplacez les saucisses par du bœuf haché que vous assaisonnerez de 15 ml (1 c. à soupe) de chacun de ces ingrédients : paprika, herbes de Provence, graines de cumin et graines de fenouil. Vous imiterez le goût de la saucisse italienne, sans les ingrédients auxquels vous êtes allergiques.

VALEURS NUTRITIVES
(par portion)

315 Calories
Protéines : 16 g
Lipides : 15 g
Glucides : 30 g
Fibres : 7 g
Sodium : 500 mg

Frittata olé!

6 PORTIONS · PRÉPARATION : 10 min · CUISSON : 20 min · PRIX : 1,90 $ / portion

INGRÉDIENTS VEDETTES

oignon rouge

poivron orange et rouge

œufs

salsa mexicaine

fromage

1/2 petit **oignon rouge**

1/2 **poivron orange**

1/2 **poivron rouge**

4 ou 5 **champignons** blancs

1 **courgette** pelée ou non (zucchini)

5 ml (1 c. à thé) d'**huile végétale**

1 gousse d'**ail** hachée

8 **œufs**

60 ml (1/4 tasse) de **lait**

Poivre du moulin et **sel**

150 ml (2/3 tasse) de **salsa mexicaine** du commerce douce ou piquante

500 ml (2 tasses) de **fromage** râpé, mélange mexicain ou italien (200 g / 7 oz)

1. Placer la grille au centre du four et préchauffer le gril du four (*broil*).
2. Couper l'oignon, les poivrons, les champignons et la courgette en très petits dés.
3. À l'aide d'un pinceau de cuisine, badigeonner d'huile un poêlon moyen allant au four. Chauffer à feu moyen-vif, ajouter les légumes coupés et l'ail, et cuire de 5 à 7 minutes en remuant de temps à autre.
4. Pendant ce temps, dans un grand bol, fouetter les œufs et le lait. Poivrer généreusement et ajouter une pincée de sel.
5. Lorsque les légumes sont tendres et commencent à dorer, verser la préparation d'œufs dans le poêlon et cuire à feu moyen-doux jusqu'à ce que les œufs commencent à figer.
6. Étendre la salsa sur les œufs et garnir de fromage. Placer le poêlon au four et cuire 5 minutes sous le gril (*broil*) ou jusqu'à ce que le fromage soit doré. Servir comme plat principal et accompagner d'une salade et de pain grillé.

Se conserve 3 jours au réfrigérateur. Ne se congèle pas.

VALEURS NUTRITIVES
(par portion)

235 Calories
Protéines : 20 g
Lipides : 12 g
Glucides : 7 g
Fibres : 2 g
Sodium : 355 mg

Astuce : Vous pouvez varier les légumes selon ce que vous avez dans le frigo. Des oignons verts, des petits pois, du maïs en grains, des carottes râpées ou du céleri haché conviennent aussi pour cette recette. À la limite, si le frigo est vraiment vide, vous pouvez cuisiner la frittata sans légumes. Ce sera moins nutritif, mais ça vous dépannera en attendant d'aller faire les emplettes !

Variante : Vous pouvez remplacer la salsa par de la sauce à pizza (voir page 72) et ajouter du pepperoni végé entre la sauce et le fromage.

Petits pains au saucisson

8 PETITS PAINS · PRÉPARATION : 15 min · CUISSON : 40 min · PRIX : 0,79 $ / petit pain

purée de pommes
de terre

saucisson sec

cheddar fort

œufs

farine tout usage

250 ml (1 tasse) de **purée de pommes de terre** (déjà préparée, voir page 80)

250 ml (1 tasse) de **saucisson sec** haché de type salami (2 petits ou 135 g / 4,5 oz)

250 ml (1 tasse) de fromage **cheddar** fort râpé (100 g / 3,5 oz)

250 ml (1 tasse) de **lait**

2 **œufs**

500 ml (2 tasses) de **farine** tout usage non blanchie

5 ml (1 c. à thé) de **poudre à pâte**

5 ml (1 c. à thé) d'**herbes de Provence** ou de fines herbes séchées à l'italienne

2,5 ml (1/2 c. à thé) de **muscade**

1 pincée de **piment de Cayenne** moulu

Poivre du moulin et **sel**

1. Placer la grille au centre du four et préchauffer le four à 180 ºC (350 ºF).
2. Dans un grand bol, mélanger à la fourchette la purée de pommes de terre, le saucisson, le cheddar, le lait et les œufs.
3. Dans un autre bol, mélanger la farine, la poudre à pâte, les fines herbes, la muscade et le piment de Cayenne. Poivrer généreusement et ajouter une pincée de sel.
4. Incorporer les ingrédients secs aux ingrédients liquides et mélanger à la fourchette pour bien humecter la préparation.
5. Remplir 8 moules antiadhésifs à muffins moyens et cuire au four de 35 à 40 minutes. Se déguste chaud ou froid. Servir accompagné de crudités. Se conserve 1 semaine au réfrigérateur ou 2 mois au congélateur.

Astuces : Profitez-en pour préparer cette recette lorsqu'il vous reste de la purée de pommes de terre au réfrigérateur. Vous pouvez aussi congeler les petits pains en les emballant individuellement. Ce sera pratique les jours où vous n'aurez pas d'inspiration pour les lunchs ! Ce petit pain remplace délicieusement le traditionnel sandwich.

Variante : Vous trouverez le saucisson sec dans la section des charcuteries. Vous pouvez le remplacer par du prosciutto haché finement ou du simili-saucisson végé (de type Yves Veggie). Ce sera tout aussi bon ! L'idéal est de choisir une charcuterie sans nitrites. Les nitrites ayant été montrés du doigt par le Fonds mondial de recherche contre le cancer, moins on en mange, mieux c'est !

En cas d'allergies aux œufs... Vous pouvez préparer la recette sans œufs et en n'utilisant que 180 ml (3/4 tasse) de lait plutôt que 250 ml (1 tasse).

268 Calories
Protéines : 14 g
Lipides : 8 g
Glucides : 35 g
Fibres : 2 g
Sodium : 334 mg

Compote de fruits antigaspillage

6 PORTIONS · PRÉPARATION : 10 min · CUISSON : 2 h · PRIX : 0,71 $ / portion

INGRÉDIENTS VEDETTES

fraises

prunes

pêches

pommes

cerises

1,5 L (6 tasses) de **fruits au choix** (voir astuce)

125 ml (1/2 tasse) de **jus de pomme** ou d'eau

1. Placer tous les fruits dans une grande casserole avec le jus de pomme ou l'eau. Couvrir et laisser mijoter à feu moyen-doux 1 1/2 heure à 2 heures en remuant de temps en temps.
2. Passer au mélangeur électrique (*blender*) pour obtenir une purée lisse, sans morceaux ni pelure. Transvider dans des contenants hermétiques.
Se conserve 1 semaine au réfrigérateur ou 2 mois au congélateur.

Astuce : Pour éviter le gaspillage des fruits, faites le ménage du tiroir à fruits une fois par semaine. Congelez tous les fruits que personne ne veut manger parce qu'ils sont trop mûrs ou un peu abîmés. Retirez le cœur et les noyaux, mais conservez la pelure (lorsqu'elle se mange) et ajoutez les fruits pêle-mêle dans un grand sac hermétique. Congelez le tout. Au fil des semaines, le sac se remplit et lorsque vous avez un peu de temps, préparez cette compote maison. Plus les fruits sont mûrs, plus la compote sera sucrée. À noter que les bananes et les agrumes ne conviennent pas pour cette recette.

Variante : Pour le petit-déjeuner, vous pouvez composer un étagé gourmand en alternant de la compote, du yogourt à la vanille et des céréales de type granola dans un grand verre ou une flûte à bière. Vous pouvez aussi congeler votre compote et la déguster comme un sorbet ou un granité.

VALEURS NUTRITIVES (par portion)

73 Calories
Protéines : 1 g
Lipides : 0 g
Glucides : 16 g
Fibres : 4 g
Sodium : 1 mg

BYE BYE, PARENT POULE

On veut le meilleur pour nos enfants. Rien de moins. Mais parfois, à trop vouloir bien faire, on peut nuire à la débrouillardise de nos petits. Donner du lest, faire confiance, cultiver l'indépendance de notre enfant et exercer son jugement, c'est aussi ce qu'on veut pour lui. Et si on lâchait prise un peu ? Pas toujours facile, mais bel et bien possible.

 # Le point de vue d'Alexandra

Pas moyen de mesurer mon niveau de poulitude, même si je suis naturellement favorable à l'autonomie des enfants. Ma Simone est une dynamo derrière qui j'ai passé les dernières années à courir. J'aurais dû me douter de son énergie quand elle a commencé à marcher à 10 mois comparativement à 14 pour son frère, d'une tranquillité déconcertante.

Avec Simone, j'ai l'équivalent d'un brevet de sauveteur national! Elle a tout le temps la bougeotte. Et c'est comme ça que je l'aime. Mais j'ai réalisé qu'en lui donnant du leste, en la laissant courir au bout d'une rangée au marché, son élastique interne la ramenait à moi naturellement. Elle finit par s'inquiéter de cette distance. Alors que si j'essaie de la rattraper, ça la met au défi et je dois courir plus et plus loin.

La règle, c'est que je dois la voir et qu'elle doit m'entendre. C'est tout le contraire avec mon fils de sept ans. Henri m'accompagnait lorsque j'ai rencontré le juge François Hamelin pour ce livre. Il m'a alors dit à la blague qu'Henri était une insulte à la science pédagogique: il s'est occupé à ses propres affaires et ne nous a pas interrompus une seule fois pendant les... trois heures de l'entretien! Je n'étais pas peu fière.

J'aimerais que mes enfants ne quittent le nid qu'à 30 ans, qu'ils aménagent une annexe à la maison une fois qu'ils auront fondé leur famille. Mais plus je les laisse voler de leurs propres ailes, plus on est unis. En bout de ligne, la véritable attention que je souhaite leur offrir, c'est la liberté.

 Le point de vue de Geneviève

Je suis à des kilomètres de ce que peut être un parent poule. Avec ma fille, je suis pro-autonomie. Je n'ai jamais supporté qu'elle soit dans mes jupes. Je l'ai toujours poussée à faire les choses par elle-même. Je suis fière d'elle quand elle passe à la « prochaine étape ». Je n'ai jamais eu l'impression de « perdre mon bébé » lorsqu'elle arrivait à cette prochaine étape.

Premier jour de garderie? Youpi! Elle va se faire des amis! Fini les couches? Bon débarras! Entrée à la maternelle? Elle est rendue là! Chaque pas devant est un pas dans la bonne direction.

Je crois qu'on rend service à notre enfant en lui apprenant à se débrouiller et j'adore confier des missions à ma fille. Elle veut aller à la crèmerie? Elle devra commander elle-même sa crème glacée. Elle veut aller au cinéma avec sa grand-maman? Elle devra faire elle-même sa demande. Elle veut un jouet qui me semble superflu? Elle devra économiser pour l'obtenir. Elle vit une situation injuste à l'école? Elle devra en parler elle-même à son professeur. C'est ma philosophie.

Il allait donc de soi que ma fille apprendrait tôt à se débrouiller en cuisine. Parce que c'est important et parce que c'est amusant. Elle est capable de s'organiser seule pour le petit-déjeuner depuis belle lurette et elle n'a que huit ans. Elle peut nous gâter la fin de semaine en nous cuisinant des crêpes et des omelettes. Elle est devenue maître dans l'art de se faire des smoothies. Ses *grilled cheese* au fromage suisse et aux pommes sont excellents.

Je ne suis jamais bien loin lorsqu'elle fait ses expériences, mais je résiste toujours à la tentation de le faire à sa place. Même si ce serait plus facile, plus rapide, plus propre...

79 % des enfants aimeraient **cuisiner plus souvent** avec leurs parents[16].

Chantal Lamarre,
animatrice et chroniqueuse, maman d'Agathe (10 ans) et de Timothée (8 ans)

« La seule façon d'avoir une vraie "pogne", un vrai suivi, c'est d'être présent. Je veux accorder beaucoup de temps à mes enfants. Je les ai eus si tard ! Ma vie professionnelle et sociale était alors assez comblée. Mon chum et moi avons tellement été présents que je me dis que mes enfants doivent être très contents maintenant quand on leur donne un petit peu de corde. »

« Pour moi, savoir cuisiner, c'est comme savoir jouer de la guitare. C'est rassembleur. Pas qu'un simple atout ! C'est aussi un exercice qui stimule la créativité, qui permet de développer un sentiment de satisfaction, d'accomplissement. Avec les enfants, notre complicité s'est beaucoup bâtie en cuisinant. On lit la recette, on mesure les ingrédients, on divise les portions. On jase, on se confie et on chante avec notre "guit" imaginaire. »
— **Alexandra**

Tania Lemieux

Pierre-Yves Lord,
animateur, papa d'Édouard (4 ans) et d'Olivia (1 an)

« On lâche prise sur la propreté. J'encourage mes enfants à découvrir les textures, les saveurs, à jouer avec leur nourriture. Vas-y, joue avec les framboises, fais voler les pâtes ! Ma fille en met partout : ça décore la maison ! »

NOS 5 TRUCS POUR DONNER LA PIQÛRE DE LA CUISINE À NOS ENFANTS

1 On laisse traîner des livres de recettes dans la maison et on demande à nos enfants de choisir une recette qu'ils cuisineront avec nous.

2 On a acheté à nos enfants des tabliers rigolos et des ustensiles de cuisine adaptés à leurs petites mains.

3 On organise parfois des compétitions culinaires entre les membres de notre famille. Qui fera la plus belle pizza ? Le meilleur sundae ? Le sandwich le plus appétissant ?

4 On n'hésite jamais à demander de l'aide à nos enfants... et à les faire sentir indispensables ! « Tu es si minutieux, je n'ai pas la patience de rouler les boulettes aussi bien que toi », « je n'arriverai pas à peler toutes ces pommes toute seule, tu as vu la quantité ! »

5 On laisse nos enfants prendre des décisions à l'épicerie. Choisiront-ils des tacos souples ou rigides ? Quelle saveur de yogourt mettront-ils dans le panier ? Et la laitue, opteront-ils pour la romaine, la frisée ou la Boston ?

Patrick Marsolais,
animateur, papa de Noah (12 ans),
de Clara (8 ans) et de Philippe (5 ans)

« Comme mes parents l'ont fait avec moi, j'encourage la prise de responsabilités chez mes enfants. Je veux qu'ils aient confiance en eux. Je suis très reconnaissant envers ma mère et mon père, car j'en ai fait des niaiseries dans ma vie ! C'est un bon truc pour lutter contre le papa poule en moi. Mais j'essaie d'être bienveillant. Je pose des questions. Je m'informe des allées et venues de mes enfants. »

« Je suis un papa qui en fait trop. Je voudrais toujours être là. J'aimerais tout faire moi-même, alors que c'est plus difficile depuis que je suis séparé. J'ai dû lâcher prise sur certaines choses et accepter de demander de l'aide, car j'étais toujours à bout de souffle. »

Annie Desrochers,
journaliste, maman d'Éloi (11 ans),
d'Ulysse (9 ans), d'Albert (7 ans),
de Blanche (4 ans) et de Philémon (5 mois)

« Il y a tout le temps un ou deux enfants qui veulent m'aider. Quand ils sont petits, on n'a pas l'impression qu'ils nous aident : on a l'impression qu'ils nous nuisent ! Mais quelqu'un m'a déjà dit : "Accepte leur aide ! Même si ça te nuit, un jour ça va t'aider." Tellement ! Mon plus vieux est maintenant capable de préparer un souper quand on manque de temps ou qu'on est à bout de souffle. C'est fantastique de le voir aller. »

Sophie Banford,
éditrice de magazine, maman de Philippe (8 ans) et de Patrick (1 an)

« Je ne veux pas être cette mère-là, la fatigante, toujours en train de dire la même chose. Mais je ne peux pas supporter certaines choses, comme un enfant qui mange la bouche ouverte. Je ne sais pas jusqu'à quel âge je vais devoir répéter à Philippe de fermer sa bouche ! J'ai alors converti ça en défi : "Philou, pense à ton défi !" C'est plus discret et constructif. Je ne lui dis pas quoi ne pas faire, je lui rappelle quoi faire. »

« Je ne pense pas que je sois une maman hélicoptère qui est toujours au-dessus de ses enfants. Mais je suis à l'écoute et plus patiente que j'imaginais l'être. »

Kim Thúy,
écrivaine, maman de Justin (13 ans) et de Valmont (11 ans)

« C'est essentiel de rendre mes enfants autonomes. Je les laisse faire beaucoup de choses, car je veux qu'ils soient débrouillards. On ne sait pas quand on va mourir. Je les prépare toujours comme si j'allais m'éteindre demain. »

POUR DÉVELOPPER LA DÉBROUILLARDISE À L'ÉPICERIE...

« À notre supermarché, je pense que tous les employés connaissent mes enfants. J'y passe le quart de ma vie ! Quand on fait les courses, on part en mission. Je demande à Henri de choisir six belles pommes, puis je le félicite pour ses pommes fermes et sans "poques". Pendant ce temps, Simone saute partout autour de nous pour avoir de l'attention. "C'est beau, Sissi, à toi d'aller chercher le lait." Et elle revient avec un deux litres de sa taille ou presque ! Mine de rien, les enfants apprennent à faire de bons choix. »
— **Alexandra**

Annie Desrochers,
journaliste, maman d'Éloi (11 ans),
d'Ulysse (9 ans), d'Albert (7 ans),
de Blanche (4 ans) et de Philémon (5 mois)

« Plusieurs mères se sentent extrêmement coupables de ne pas en faire assez, mais ce n'est pas mon cas. Je ne sais pas si c'est parce que j'ai beaucoup d'enfants, mais je réussis à me détacher de ce sentiment. J'assume beaucoup mes choix. »

Sylviane Robini

« J'adore regarder les yeux de ma fille lorsqu'elle cuisine. Elle est fascinée, émerveillée. C'est comme si elle faisait une expérience scientifique. Ma fille prend plaisir à créer des potions magiques. Lorsqu'elle joue dehors après une averse, elle finit inévitablement par créer un cocktail de terre, d'eau, de gazon et de roches. Seul bémol : ça ne se mange pas ! Elle rentre donc à la maison et se fait un smoothie avec des fruits, du yogourt et du jus. Pas mal plus savoureux que de la bouette ! »
— **Geneviève**

Rafaële Germain,
écrivaine, maman d'Élisabeth (18 mois)
et belle-maman de Marguerite (13 ans) et de Gilbert (10 ans)

« Je suis énormément impliquée auprès de ma fille. On parle, on dessine, on joue, je lui fais des petits plats, je lui montre des p'tits trucs. C'est beaucoup de travail. Avec le manque de sommeil, je suis parfois au bout du rouleau. Mais je veux la stimuler. Mon chum me taquinait en disant que les premiers mots de notre fille seraient: "Maman, sacre-moi patience!" »

« Chez nous, la chambre des maîtres est interdite aux enfants, mais la cuisine n'est pas une zone réservée qu'aux parents. Un escalier à trois marches et un peu de patience, c'est tout ce que ça m'a demandé pour leur faire une place à mes côtés. Au début, c'était plus laborieux et la cuisine était plus bordélique. C'est devenu un mode de vie et, en plus, on a épargné en pâte à modeler ! Toutefois, les jours où je suis épuisée ou affamée, je suis seule reine de mes fourneaux. Faut choisir ses moments. »
— **Alexandra**

François Hamelin,
juge, papa de Pierre-Marc (35 ans), de Marie-Noëlle (33 ans) et de Justine (30 ans)

« Au sujet du bonheur, Aristote disait qu'on le trouve derrière l'effort librement consenti quand on se donne un objectif. Pour moi, ça revient à montrer à mes enfants qu'on doit se prendre en main. Il existe deux sortes de plaisirs: celui pour lequel on ne fournit aucun effort, comme prendre une bière et aller au cinéma. C'est le bonheur passif et nécessaire. Et il y a le bonheur actif, celui qu'on crée en se mobilisant, en se levant pour réaliser quelque chose. Ça, c'est le bonheur profond, celui qui donne un sens aux choses. On est fait pour l'action, on est pleins de puissances créatrices, d'imagination, d'intelligence, de jugement. Mais si on ne crée rien, tout ça tombe à l'eau. »

Francis Brisebois

Claudia Larochelle,
écrivaine et animatrice, maman d'Ophélie (2 mois)

« Je me pratique à être relax. Ce n'est pas dans ma nature. Mais je souhaite que ma fille le soit. J'essaie d'être le plus zen possible avec elle. Pendant ma grossesse, j'essayais de bien m'alimenter et je faisais beaucoup de yoga. Je pense que je réussis assez bien, parce qu'elle a l'air assez détendue… pour l'instant ! »

UNE QUESTION D'ATTITUDE...

Florence K,
auteure-compositrice-interprète,
maman d'Alice (7 ans)

« Ma mère me dit tout le temps: "La vie est pleine de surprises." Elle veut dire, dans sa poésie, qu'après la pluie vient le beau temps, comme une surprise.

« Alors que je venais de révéler à mon père mon désir de monter un jour sur une scène, il m'a dit: "Fais-le, ma fille, mais fais-le bien." J'applique ce conseil dans tout et je l'enseigne à Alice. »

Rafaële Germain,
écrivaine, maman d'Élisabeth
(18 mois), belle-maman
de Marguerite (13 ans) et
de Gilbert (10 ans)

« Quand j'avais l'air bête, ma mère me disait: "Change d'air!" Ça me tapait sur les nerfs, mais j'ai compris un jour que se mettre un sourire dans la face, des fois, c'est tout ce que ça prend pour changer d'humeur. »

Kim Thúy,
écrivaine, maman de Justin
(13 ans) et de Valmont (11 ans)

« Vivre est exigeant, donc il faut toujours faire des efforts si on veut devenir meilleur que ce qu'on est naturellement. »

François Hamelin,
juge, papa de Pierre-Marc
(35 ans), de Marie-Noëlle (33 ans)
et de Justine (30 ans)

« Pour relativiser les choses, je me dis que je vais rencontrer quotidiennement cinq situations désagréables. Quand la première se présente, ne te fâche pas! Dis-toi: "Voilà la première, fais ce que tu as à faire." Après, quand il s'en présente une deuxième, à midi et demi, ne te fâche pas. Dis-toi: "Voilà la deuxième." Si, à la fin de la journée, il n'y en a eu que trois, alors c'était une maudite bonne journée et tu ne t'es jamais fâché! S'il y en a eu sept et que tu ne t'es jamais fâché, tu peux dire: "C'était une dure journée aujourd'hui, mais tu ne t'es jamais fâché, tu es resté en contrôle." »

Si vos enfants font des gaffes en cuisinant, **soyez indulgent et patient**. Pourquoi ne pas en profiter pour rigoler un peu? Après tout, un papa avec de la farine sur le nez, ça restera gravé dans leur mémoire pendant longtemps!

« Lorsque ma fille me demande une collation, je lui réponds toujours de se débrouiller et de la préparer toute seule. Elle y arrive de mieux en mieux! Si elle me dit qu'elle n'est pas capable de préparer telle ou telle chose, je le fais avec elle pour que la prochaine fois, elle sache comment s'y prendre. »
— **Geneviève**

Sébastien Benoit,
animateur, papa de Laurent (7 mois)

« Au secondaire, certains camarades de classe avaient l'air de ne jamais rien faire et pétaient des scores. Ça m'énervait! Par contre, j'avais compris l'équation "travail égale bons résultats". Je vais citer une phrase apprise de Michel Jasmin et que je dirai à mon fils: "Il n'y a que dans le dictionnaire que le mot succès arrive avant le mot travail!" »

Rima Elkouri,
chroniqueuse, mère de deux enfants (9 ans et 7 ans)

« Mes enfants ne sont pas des passionnés de cuisine. Mais ils sont toujours volontaires pour les tâches non essentielles, comme lécher les plats, surtout quand il y a du chocolat et de la crème dedans! Ce qui importe, au bout du compte, c'est d'être ensemble. »

Chantal Lamarre,
animatrice et chroniqueuse, maman d'Agathe (10 ans) et de Timothée (8 ans)

« C'était plus simple quand j'étais enfant. Il n'y avait pas 36 000 cours et camps de jour. L'été, je traversais la rue en pyjama et j'allais jouer avec mon amie. C'était la vie de banlieue entourée d'enfants. Quand je garde les miens à la maison l'été, ils n'ont pas d'amis pour jouer, donc il faut tout générer. »

Olivia Lévy,
journaliste, mère d'Inès (2 ans) et de Romain (1 an)

« Mes parents disaient : "Il ne faut pas être difficile à vivre. C'est plus agréable et payant d'être facile à vivre dans la vie ! " »

Pierre-Yves Lord,
animateur, papa d'Édouard (4 ans) et d'Olivia (1 an)

« Mon plus vieux a besoin d'un cadre rigide. Il me ressemble tellement sur ce point, quand j'étais petit. Mais je pense que je serai moins sévère avec lui à mesure qu'il grandira. Je pense qu'assouplir les règles lui permettra d'être moins tenté de les enfreindre. Il deviendra plus responsable. »

Tania Lemieux

Salade de fraises et de bocconcini

4 PORTIONS • PRÉPARATION : 10 min • CUISSON : aucune • PRIX : 1,74 $ / portion

INGRÉDIENTS VEDETTES

fraises

menthe

bocconcini

sirop d'érable

poivre rose

500 ml (2 tasses) de **fraises** fraîches équeutées et coupées en 4

30 ml (2 c. à soupe) de **menthe** fraîche hachée finement

250 ml (1 tasse) de **bocconcini** de taille cocktail

30 ml (2 c. à soupe) de **sirop d'érable**

5 ml (1 c. à thé) de **poivre rose** concassé

1. Dans un bol, mélanger les fraises, la menthe, les bocconcini, le sirop d'érable et le poivre rose.
2. Servir comme entrée... ou comme dessert ! Se conserve 3 jours au réfrigérateur et ne se congèle pas.

VALEURS NUTRITIVES
(par portion)

194 Calories
Protéines : 11 g
Lipides : 12 g
Glucides : 11 g
Fibres : 1 g
Sodium : 211 mg

Variante : Pour cette recette, nous avons utilisé les bocconcini de la taille « cocktail » de marque Saputo. Un contenant de 200 g ou de 19 unités représente 250 ml (1 tasse) de fromage égoutté. Si vous achetez de plus gros bocconcini, coupez-les de la même grosseur que les morceaux de fraises.

Astuce : Pour une touche de luxe qui ne passera pas inaperçue auprès de vos invités, remplacez les bocconcini par de la mozzarella di buffala (mozzarella fraîche) : déchiquetez-la avec les doigts et ajoutez un filet de votre meilleure huile d'olive. Du raffinement en toute simplicité !

Limonade rose

8 PORTIONS • PRÉPARATION : 10 min • CUISSON : aucune • PRIX : 0,45 $ / portion

fraises fraîches

citrons

sucre à glacer

eau

glaçons

500 ml (2 tasses) de **fraises** fraîches équeutées ou surgelées et décongelées

Le jus de 3 **citrons**

45 ml (3 c. à soupe) de **sucre à glacer**

1,5 L (6 tasses) d'**eau** froide

Glaçons

Tranches de **citron** (facultatif)

1. Au mélangeur électrique (*blender*), réduire les fraises avec le jus de citron et le sucre pour obtenir une purée lisse.
2. Transvider dans un pichet, ajouter l'eau et mélanger.
3. Servir dans un verre rempli de glaçons. Garnir de tranches de citron si désiré.
4. Se conserve 3 jours au réfrigérateur.

VALEURS NUTRITIVES
(par portion)

29 Calories
Protéines : 0 g
Lipides : 0 g
Glucides : 8 g
Fibres : 1 g
Sodium : 1 mg

Astuce : Pour un pique-nique, transvidez cette limonade dans des petites bouteilles réutilisables, des gourdes ou d'anciennes bouteilles de jus de fruits bien lavées. Apportez des pailles et offrez ces limonades maison à votre marmaille après une belle partie de Frisbee !

Variante : Vous pouvez verser le surplus de limonade dans des contenants à sucettes glacées : vous obtiendrez des *popsicles* rafraîchissants et santé. Pour une version « adulte », ajoutez un peu de rhum ou de vodka à chaque portion. Ce n'est pas interdit !

Boisson gazeuse maison (soda à l'italienne)

1 PORTION • PRÉPARATION : 2 min • CUISSON : aucune • PRIX : 0,78 $ / portion

INGRÉDIENTS VEDETTES

eau minérale gazéifiée

glaçons

sirop concentré de fruits (cassis, grenade, framboises...)

375 ml (1 1/2 tasse) d'**eau minérale gazéifiée**

Glaçons

Sirop concentré de fruits (cassis, grenade, framboises, mûres...)

1. Mettre l'eau et les glaçons dans un grand verre.
2. Verser lentement le sirop en un mince filet pour qu'il se dépose au fond du verre. Servir immédiatement.

VALEURS NUTRITIVES
(par portion)

53 Calories
Protéines : 0 g
Lipides : 0 g
Glucides : 13 g
Fibres : 0 g
Sodium : 7 mg

Astuce : On trouve les sirops concentrés de fruits dans la plupart des épiceries, dans la section des alcools ou des boissons gazeuses. Si vous n'en trouvez pas, demandez au gérant de votre épicerie pour qu'il en tienne en magasin.

Variante : Vous pouvez remplacer le sirop concentré de fruits par du jus de fruits pur. Le look ne sera pas le même, mais le pétillant sur la langue sera au rendez-vous ! Dans un verre, mélangez une part d'eau gazéifiée et une part de jus de fruits. Servez avec des glaçons et voilà une boisson gazeuse santé à offrir sans culpabilité. Pour une touche d'originalité, utilisez des fruits congelés en guise de glaçons : raisins, cerises, fraises, melon. Autant de possibilités que de fruits !

Smoothie trois façons

4 PORTIONS • PRÉPARATION : 5 min • CUISSON : aucune • PRIX : 1,32 $ / portion de crème fruitée,
1,52 $ / portion de smoothie, 0,76 $ / portion de sucette glacée

INGRÉDIENTS VEDETTES

banane

tofu soyeux mou

fruits surgelés

boisson de soya

1 **banane** moyenne

350 g de **tofu** soyeux mou (de type Mori-Nu)

500 ml (2 tasses) de **fruits surgelés** et partiellement décongelés

375 ml (1 1/2 tasse) de **lait** ou de boisson de soya enrichie

1. Au mélangeur électrique (*blender*), réduire en purée la banane, le tofu et les fruits. Cette **crème fruitée** se mange à la cuillère, comme un yogourt.
2. Pour transformer la crème fruitée en **smoothie**, ajouter du lait ou de la boisson de soya. Verser dans des verres et servir.
3. Pour faire des *popsicles*, verser le smoothie dans des contenants à sucettes glacées. Placer au congélateur pendant un minimum de 4 heures. Servir comme collation ou comme dessert.
   La crème fruitée et le smoothie se conservent 2 jours au réfrigérateur. Bien remuer avant de servir. Les sucettes glacées se conservent 2 mois au congélateur.

VALEURS NUTRITIVES (par portion de crème fruitée, 1/4 de la recette)	VALEURS NUTRITIVES (par portion de smoothie, 1/4 de la recette)	VALEURS NUTRITIVES (par portion de sucette glacée, 1/8 de la recette)
116 Calories	141 Calories	70 Calories
Protéines : 6 g	Protéines : 8 g	Protéines : 4 g
Lipides : 3 g	Lipides : 3 g	Lipides : 2 g
Glucides : 16 g	Glucides : 20 g	Glucides : 10 g
Fibres : 3 g	Fibres : 3 g	Fibres : 2 g
Sodium : 9 mg	Sodium : 38 mg	Sodium : 19 mg

Astuce : Pas besoin d'ajouter de sucre, puisque c'est la banane qui donne le goût sucré à ces recettes. Plus la banane est mûre, mieux c'est !

Variante : Vous ne vous lasserez jamais de cette recette si, chaque fois que vous la préparez, vous changez la sorte de fruits. Créez des mariages selon votre inspiration et n'hésitez pas à jumeler les fruits frais aux fruits surgelés pour plus de variété.

Slush maison

2 PORTIONS • PRÉPARATION : 5 min • CUISSON : aucune • PRIX : 0,55 $ / portion

INGRÉDIENTS VEDETTES

jus de pomme concentré surgelé, non dilué

eau

glaçons

colorant alimentaire

125 ml (1/2 tasse) de **jus de pomme concentré** surgelé et non dilué, mais partiellement décongelé

125 ml (1/2 tasse) d'**eau** froide

500 ml (2 tasses) de **glaçons**

Quelques gouttes de **colorant alimentaire** (au choix)

1. Au mélangeur électrique (*blender*), pulser le jus, l'eau et les glaçons pour obtenir la consistance d'une slush.
2. Ajouter quelques gouttes de colorant, mélanger et verser dans un grand verre. Servir immédiatement.

VALEURS NUTRITIVES
(par portion)

116 Calories
Protéines : 0 g
Lipides : 0 g
Glucides : 29 g
Fibres : 0 g
Sodium : 0 mg

Astuces : Les enfants doivent s'habituer à boire de l'eau et apprendre à l'aimer même si elle ne goûte « rien ». On peut « jazzer » l'eau en lui ajoutant quelques feuilles de menthe, des fraises surgelées ou des tranches de citron, d'orange ou de pêche. Les herbes et les fruits diffuseront lentement leur saveur. On peut également ajouter des glaçons de jus de fruits, des pailles amusantes ou servir l'eau dans des verres originaux. On peut diluer des jus pour commencer. Mais ultimement, il faut servir de l'eau le plus souvent possible. Pour les occasions spéciales, vous pouvez offrir notre boisson gazeuse maison (voir page 212) et notre slush maison. Ces gâteries ne passeront pas inaperçues !

Variante : Remplacez le jus de pomme par du jus d'orange concentré non dilué ou même par des fruits surgelés légèrement décongelés. Mangue, fraises ou bleuets feront de vos slushs les plus trippantes du quartier !

DITES OUI
AU DESSERT

**Que celui qui n'aime pas
les desserts lève la main!**
Ça fait partie des petits bonheurs de la vie.
La tire d'érable sur la neige, les guimauves
grillées sur le feu de camp, la fondue
au chocolat, les bonbons d'Halloween...
les interdire ne mènera nulle part. Apprenons
plutôt à nos enfants à les déguster sans
culpabilité, pour ne jamais se priver,
ni s'empiffrer.

Le point de vue de Geneviève

Je vis sur la même planète que vous tous. Ce n'est pas parce que je suis nutritionniste que j'ai fait le vœu de pénitence. Renoncer aux desserts ne faisait pas partie du contrat lorsque j'ai reçu mon diplôme.

Je suis une grande gourmande et vous n'arriverez pas à me convaincre de manger une pomme lorsque j'ai des envies de chocolat!

C'est de ma dent sucrée qu'est né mon désir de créer des desserts à la fois «cochons» et bons pour la santé. J'éprouve beaucoup de plaisir à trouver l'astuce qui me permettra d'obtenir un dessert moelleux mais moins gras, savoureux mais moins sucré, décadent mais nutritif.

Cacher des légumes dans un muffin? Pourquoi pas, si ça rend le muffin plus savoureux! Camoufler des haricots blancs dans un biscuit? Pourquoi pas, si ça rend le biscuit plus moelleux!

Ça me fait tellement plaisir lorsque vous me dites que vous avez servi mes recettes à vos invités et qu'ils ne se sont pas doutés que c'était santé. Chez nous, personne ne se prive de dessert. Je souhaite que ça se passe aussi comme ça chez vous.

Le point de vue d'Alexandra

Henri est-il vraiment mon fils? Nous n'avons absolument pas la dent sucrée dans la famille, ni moi, ni papa, ni petite sœur. Mais fiston pourrait installer ses quartiers généraux dans une machine à barbe à papa! Il a en lui la coutume nord-américaine du dessert et grimace toujours un peu quand il voit arriver la coupe de fruits chez ses cousins latins. Heureusement pour lui, ses quatre grands-parents lui réservent toujours bonbons et chocolats.

Moi, il me prend l'envie de manger du dessert presque uniquement quand je suis très fatiguée. Et j'en mange trop d'un coup. Mais règle générale, je n'avale que des fruits. Un beau problème, diront certains!

Je voudrais être une maman qui cuisine de savoureux gâteaux trônant sous une belle cloche de verre au retour des enfants de l'école ou de la garderie. Je voudrais monter un somptueux gâteau de quatre étages à la ganache pour l'anniversaire de mes enfants. Mais je vais plutôt au supermarché du coin commander des gâteaux trop sucrés, couronnés de figurines de dessins animés. C'est comme ça!

Je fais toutefois un effort pour ma petite bibitte à sucre, qui porte fièrement ce titre, comme d'autres celui de récipiendaire du prix Nobel. Je déguise des collations en desserts, j'ajoute du sirop d'érable sur ses fruits, je fais des brochettes de guimauves et... de fruits! Je finis par m'en tirer en lui préparant son dessert préféré: une banane en purée arrosée du jus d'une orange pressée, une invention de ma mère. Ça lui rappelle l'affection que lui porte sa grand-mère et je me convaincs alors qu'il est bien le fils de sa mère!

Le dessert préféré de Geneviève
« Un gâteau fondant au chocolat noir bien chaud servi avec de la crème glacée à la vanille. Que c'est bon ! »

LES RÉCOMPENSES

Si vous offrez de la crème glacée ou du chocolat à votre enfant parce qu'il a été sage ou parce qu'il n'a pas bougé chez le coiffeur, vous lui enseignez à se récompenser avec de la nourriture. Il fera la même chose une fois adolescent ou adulte : lorsqu'il sera fier de lui, heureux ou lorsqu'il vivra une journée difficile, il trouvera réconfort auprès des aliments. Vous voulez féliciter votre enfant ? Offrez-lui une récompense « non alimentaire ». Par exemple, s'il a un beau bulletin, achetez-lui une nouvelle bande dessinée. Une permission spéciale, une sortie ou un privilège auront plus de succès qu'un gâteau, et votre enfant se souviendra bien plus longtemps de sa récompense.

✦ LE TRUC DU PRO ✦
Patrice Demers,
chef pâtissier

DES COMPOTES DE FRUITS AU FOUR

Mathieu Lévesque

« Je n'ai jamais eu la dent sucrée, mais j'ai toujours été un maniaque de fruits. Pour les transformer et en manger facilement toute l'année, on peut en faire des purées cuites au four. Cette méthode de cuisson concentre les arômes des fruits. On va ainsi leur faire perdre un peu de leur eau de végétation et obtenir des fruits naturellement plus sucrés. Il s'agit de les cuire au four une trentaine de minutes à 180 °C (350 °F).

Quand on ne les congèle pas, les purées se gardent facilement cinq jours au frigo. L'idée, c'est de jouer avec les fruits de saison. Donc, durant l'été, on transforme des pêches, des nectarines, des prunes et en automne, on transforme nos pommes. »

Le dessert préféré d'Alexandra
« Je n'ai pas la dent sucrée, mais je ferais des bassesses
pour du chocolat... à la fleur de sel ! »

TOP 10 DES DESSERTS PRÉFÉRÉS DES PARENTS...

- Le gâteau au fromage
- La crème brûlée
- Le pouding chômeur
- Le gâteau fondant au chocolat
- Le brownie
- La mousse au chocolat
- La tarte au sucre
- La tarte au citron
- Le shortcake aux fraises
- Le tiramisu

(D'après un sondage sur la
page Facebook de *Cuisine futée*)

TOP 10 DES DESSERTS PRÉFÉRÉS DES ENFANTS...

- La crème glacée
- Le gâteau au chocolat avec du « crémage »
- Les biscuits aux pépites de chocolat
- Les bonbons
- La fondue au chocolat
- Le brownie
- La tarte au sucre
- La croustade aux pommes
- Le pouding chômeur
- Les beignes

(D'après un sondage sur la
page Facebook de *Cuisine futée*)

Claudia Larochelle,
écrivaine et animatrice,
maman d'Ophélie (2 mois)

« Chez nous, il y avait du vin et du dessert. C'est important de ne pas se priver. J'ai pitié de mes chats qui mangent la même moulée chaque jour de leur vie. Au moins, ma fille a accès à une variété infinie d'aliments ! »

VOTRE ENFANT N'A PAS DE FOND POUR LES DESSERTS?

« Mon Henri mangerait des desserts par intraveineuse du matin au soir. Et ça me fait plaisir de lui en donner, mais en mini-portions escortées d'une montagne de fruits. Ça marche pour les mousses au chocolat dans une tasse à espresso, les bouchées de brownie, les biscuits de la taille d'une pièce de deux dollars, les macarons... Je lui dis qu'après, s'il en veut encore, ce sera avec plaisir. Il n'en redemande jamais. »

– Alexandra

En moyenne, **les Canadiens** consomment 110 grammes de sucre chaque jour, ce qui équivaut à 26 cuillères à thé. C'est énorme![18]

✦ LE TRUC DE LA PRO ✦

Marie Watiez,
psychosociologue de l'alimentation, Sésame Consultants

« Il ne faut pas mettre le dessert sur un piédestal. Il faut plutôt valoriser les autres aliments et rendre tous les plats intéressants. Il n'y a pas que le dessert qui apporte du plaisir. »

À PROPOS DE LA FAMEUSE MENACE

« "Si tu ne termines pas ton assiette, tu n'auras pas de dessert." Il faut savoir distinguer si l'enfant ne termine pas son assiette parce qu'il n'a plus faim ou parce qu'il est devant un aliment qu'il n'aime pas du tout. Dans ce dernier cas, c'est le mettre dans une situation de mal-être que de l'obliger à manger quelque chose qu'il n'aime pas. En forçant un enfant, il sera tenté de se précipiter sur les desserts quand il en aura sous la main. Les enfants qui ne veulent pas terminer leur assiette peuvent le faire pour se garder une petite place pour le dessert. C'est tout à fait possible. Il faut idéalement que le dessert contribue à l'équilibre du repas. Les deux éléments clés à retenir sont: les desserts ne sont pas interdits et les desserts ne sont pas une récompense. Il faut donc faire du dessert un élément du repas comme les autres. »

Gilles Barbot,
athlète et chef d'entreprise, papa de Louis (12 ans), de Vianney (9 ans), de Nina (2 ans) et de bébé Malo

« J'ai lu quelque part, à propos du dessert: "En Amérique du Nord, on parle de calories. En Europe, de plaisir." »

« Ma fille est une "Miss bonbons". Elle a "son" bol de bonbons dans le garde-manger et loin de moi l'idée de lui interdire d'en manger ! Je préfère lui montrer comment bien les déguster. Un petit bonbon qu'on laisse fondre doucement dans la bouche procure plus de plaisir qu'un sac complet de jujubes qu'on "gobe" distraitement en regardant la télévision. Et en dégustant chaque bonbon, elle n'a pas besoin de vider son bol pour être satisfaite. »
– Geneviève

PARENT FUTÉ
« Mon garçon dit qu'il adore le gâteau, mais il ne fait que manger le "crémage" ! »

SARAH POMERLEAU, MAMAN D'ESTÉBAN (3 ANS) ET DE LUDOVIC (14 MOIS)

Rima Elkouri,
chroniqueuse, mère de deux enfants
(9 ans et 7 ans)

« Il m'arrive de dire : "Si tu n'as pas fini, t'auras pas de dessert." On ne doit pas dire de telles choses. Mais le taux d'échec est assez faible. C'est efficace ! »

Sophie Banford,
éditrice de magazine, maman
de Philippe (8 ans) et de Patrick (1 an)

« C'est important d'apprendre à mes enfants à reconnaître leur signal de satiété. Petite, je devais terminer mon assiette; c'était typique de l'époque. Aujourd'hui, je dis à mes enfants : "Concentre-toi sur ton appétit. Apprends à manger jusqu'à ce que tu n'aies plus faim." »

❖ **LE TRUC DE LA PRO** ❖

Marie Watiez,
psychosociologue de l'alimentation,
Sésame Consultants

NE PAS PERMETTRE
NE VEUT PAS DIRE INTERDIRE

« On peut expliquer à notre enfant que chez nous, on ne mange pas tel ou tel aliment. Ce n'est pas de l'interdit. C'est un choix. C'est-à-dire qu'il y a des maisons où on en mange et des maisons où on n'en mange pas, comme il y a des pays où on mange telle chose et d'autres pays où on n'en mange pas. Les enfants vont certainement manger ailleurs un aliment que vous avez choisi de ne pas entrer dans la maison. Cet aliment ne fait pas partie des choix de la famille, voilà tout. »

« Je ne réserve pas les bonbons aux fêtes ni aux occasions spéciales. On peut avoir envie de déguster un bonbon sans raison, un soir de semaine comme les autres. Il faut savoir s'offrir ce petit plaisir sans culpabilité. »
— **Geneviève**

Chantal Lamarre,
animatrice et chroniqueuse, maman d'Agathe (10 ans) et de Timothée (8 ans)

« Les hot-dogs pour mon fils, les desserts décadents pour ma fille : il faut accorder de petites permissions de temps en temps. C'est une question d'équilibre. Si tu leur donnes parfois quelque chose d'un peu plus alléchant, tu pourras ensuite leur passer autre chose. »

Pascale Wilhelmy,
animatrice, maman de Lola (25 ans) et de Romain (19 ans)

« Pour le dessert, je fais griller des pêches avec du basilic ou de la menthe. Je m'arrange toujours pour avoir des herbes à portée de main, que j'ajoute à n'importe quoi. J'aime aussi beaucoup le melon d'eau grillé avec du jus de lime. Je fais tout griller ! »

LA POLITESSE ET LE RESPECT VUS PAR...

Pascale Wilhelmy,
animatrice, maman de Lola (25 ans) et de Romain (19 ans)

« La politesse est élémentaire. Lors des repas, peu importe le nombre de convives, je me sers en dernier et je ne veux pas qu'on commence à manger avant moi. C'est la moindre des reconnaissances de se dire: "J'attends la personne qui a fait le repas." »

Kim Thúy,
écrivaine, maman de Justin (13 ans) et de Valmont (11 ans)

« Même fâché, il faut être poli. On ne peut pas tout dire et pas n'importe comment. »

Pierre-Yves Lord,
animateur, papa d'Édouard (4 ans) et d'Olivia (1 an)

« Respecte tes parents. Ils ne sont pas tes serviteurs. Ils sont là pour t'aider à grandir et à t'amener à voler de tes propres ailes. N'oublie jamais de leur dire "s'il vous plaît" et "merci". »

Sophie Banford,
éditrice de magazine, maman de Philippe (8 ans) et de Patrick (1 an)

« Si on s'impatiente et qu'on hausse le ton, il faut avoir l'humilité de s'excuser auprès de ses enfants. »

Claudette Taillefer,
maman de Pierre-André (51 ans), de Marie-Josée (50 ans) et de Carl (47 ans) et grand-maman !

« Quand tes enfants te parlent, regarde-les dans les yeux et écoute-les. »

Avez-vous remarqué qu'on mange **plus de sucreries** lorsqu'on est fatigués? Allez, au lit ![17]

« Cheese-cake » sans cuisson

4 PORTIONS • PRÉPARATION : 10 min • CUISSON : aucune • PRIX : 2,75 $ / portion

INGRÉDIENTS VEDETTES

fromage Quark
ou fromage frais

sirop d'érable

beurre

chapelure de
biscuits Graham

framboises fraîches

1 pot de 375 g (3/4 lb) de **fromage frais** (de type Quark) ou 375 ml (1 1/2 tasse) d'un autre fromage frais non salé

60 ml (1/4 tasse) de **sirop d'érable**

30 ml (2 c. à soupe) de **beurre** fondu

125 ml (1/2 tasse) de **chapelure de biscuits Graham**

180 ml (3/4 tasse) de **framboises fraîches** (1 casseau)

60 ml (1/4 tasse) de **tartinade aux framboises** sans sucre ajouté (de type St. Dalfour)

1. Dans un bol moyen, fouetter le fromage et le sirop d'érable afin d'obtenir une préparation lisse et homogène. Pour gagner du temps (et pour avoir moins de vaisselle à laver !), ajouter le sirop directement dans le contenant de fromage.
2. Dans un autre bol, incorporer le beurre dans la chapelure pour obtenir des grains de grosseur uniforme. Répartir la chapelure dans des petits bols ou des ramequins sans presser.
3. Répartir le fromage à l'érable dans chaque contenant.
4. Dans un bol, écraser les framboises à la fourchette. Ajouter la tartinade et bien mélanger. Déposer la garniture sur le fromage à l'érable. Conserver au frais jusqu'au moment de servir. Se conserve 2 jours au réfrigérateur et ne se congèle pas.

VALEURS NUTRITIVES
(par portion)

240 Calories
Protéines : 12 g
Lipides : 7 g
Glucides : 36 g
Fibres : 2 g
Sodium : 121 g

Astuce : Le fromage frais de type Quark ou Damablanc se trouve dans la plupart des épiceries, dans la section des produits laitiers, tout près du fromage cottage. Si vous avez de la difficulté à le trouver, n'hésitez pas à le demander au gérant de votre épicerie. Au besoin, il pourra en commander afin de le tenir en magasin. Vous pouvez aussi préparer la recette avec du yogourt grec nature.

Variante : Vous pouvez remplacer les framboises par des fraises ou des bleuets, et utiliser une tartinade à la même saveur que le fruit choisi.

Sandwichs glacés

8 SANDWICHS • PRÉPARATION : 10 min • CUISSON : aucune • CONGÉLATION : 1 h
PRIX : 0,70 $ / portion

INGRÉDIENTS VEDETTES

fraises surgelées

bananes

yogourt glacé
à la vanille

biscuits à l'avoine

125 ml (1/2 tasse) de **fraises** surgelées et partiellement décongelées

2 **bananes** moyennes tranchées et congelées

250 ml (1 tasse) de **yogourt glacé** à la vanille

16 petits **biscuits à l'avoine** (maison ou du commerce)

1. Au robot culinaire, réduire les fraises et les bananes en purée.
2. Ajouter le yogourt glacé et mixer pour obtenir un mélange onctueux et homogène.
3. Répartir la préparation sur 8 biscuits. Refermer avec les 8 autres biscuits pour créer des sandwichs.
4. Placer les sandwichs sur une plaque de cuisson et congeler au moins 1 heure. Servir.
Se conserve 1 mois au congélateur.

VALEURS NUTRITIVES
(par sandwich)

102 Calories
Protéines : 2 g
Lipides : 3 g
Glucides : 19 g
Fibres : 1 g
Sodium : 52 mg

Astuce : Ne jetez jamais les bananes trop mûres que personne ne veut manger. Congelez-les plutôt en tranches, pour faire cette recette, ou entières, pour préparer des muffins et des biscuits. Pratique et économique !

Variante : Vous pouvez omettre les biscuits et servir la garniture glacée dans une coupe à dessert. Décorez avec de petits fruits frais.

En cas d'allergie aux produits laitiers... Remplacez le yogourt glacé par un dessert glacé au soya et assurez-vous que vos biscuits ne contiennent pas de produits laitiers.

Bouchées de brownie

12 PORTIONS • PRÉPARATION : 10 min • CUISSON : 5 min • RÉFRIGÉRATION : 1 h
PRIX : 0,41 $ / boule

INGRÉDIENTS VEDETTES

dattes séchées

eau

chocolat noir

chapelure de biscuits Graham

125 ml (1/2 tasse) de **dattes** séchées, dénoyautées et hachées grossièrement

125 ml (1/2 tasse) d'**eau**

100 g (3,5 oz) de **chocolat noir** concassé ou 3 1/2 carrés de chocolat noir de type Baker

250 ml (1 tasse) de **chapelure de biscuits Graham**

1. Dans une casserole moyenne, mélanger les dattes et l'eau. Porter à ébullition et cuire 5 minutes à feu moyen-vif ou jusqu'à ce qu'il ne reste presque plus d'eau dans la casserole.

2. Retirer du feu et, à l'aide d'une fourchette, réduire les dattes en purée. Ajouter le chocolat et remuer pour le faire fondre.

3. Incorporer la chapelure et former des boules d'environ 30 ml (2 c. à soupe). Réfrigérer 1 heure avant de servir.
Se conserve 1 semaine au réfrigérateur ou 3 mois au congélateur.

VALEURS NUTRITIVES
(par boule)

123 Calories
Protéines : 2 g
Lipides : 5 g
Glucides : 17 g
Fibres : 2 g
Sodium : 24 mg

Astuce : Trois ingrédients et 15 minutes de votre temps, c'est tout ce qu'il vous faut pour préparer ces petites bouchées à fondre de plaisir. N'hésitez pas à doubler la recette, car ces bouchées se congèlent très bien. Vous aurez ainsi des réserves de ce délicieux dessert.

Variante : Pour une petite touche gourmande supplémentaire, vous pouvez rouler les bouchées de brownie dans la poudre d'amande ou dans la noix de coco grillée.

En cas d'allergie aux produits laitiers... Assurez-vous d'utiliser du chocolat ne contenant aucune trace de lait.

« Mug cake » aux fraises

1 PORTION • PRÉPARATION : 5 min • CUISSON : 2 à 3 min • PRIX : 0,66 $ / portion

INGRÉDIENTS VEDETTES

œuf

yogourt à la fraise

huile végétale

sucre

farine

1 **œuf**

30 ml (2 c. à soupe) de **yogourt** à la fraise ou à la vanille

7,5 ml (1/2 c. à soupe) d'**huile végétale**

15 ml (1 c. à soupe) de **sucre** blanc

1 ml (1/4 c. à thé) de **vanille**

1 ml (1/4 c. à thé) de **poudre à pâte**

45 ml (3 c. à soupe) de **farine** Nutri de Robin Hood ou de farine tout usage non blanchie

2 ou 3 **fraises fraîches** coupées en dés

Crème champêtre 15 % m.g. (facultatif)

1. Battre l'œuf à la fourchette dans une grande tasse.
2. Ajouter le yogourt, l'huile, le sucre, la vanille et la poudre à pâte, puis bien mélanger.
3. Incorporer la farine et mélanger pour obtenir une pâte lisse et sans grumeaux.
4. Cuire au four à micro-ondes de 2 à 3 minutes à puissance maximale. Le gâteau est prêt lorsqu'il est gonflé et qu'il ne s'affaisse pas à la sortie du four.
5. Déposer les dés de fraises sur le gâteau et napper d'un filet de crème, si désiré. Servir immédiatement et déguster à même la tasse.

Astuce : La farine Nutri est un mélange de farine blanche et de son de blé finement moulu. Son goût et sa texture ressemblent à la farine tout usage, mais sa valeur nutritive se situe entre la farine tout usage et celle de blé entier. Vous la trouverez dans la plupart des épiceries, à côté des autres types de farine. Vous pouvez la remplacer par un mélange moitié farine tout usage et moitié farine de blé entier.

Variante : Vous pouvez varier la saveur du yogourt utilisé et servir le gâteau avec une variété de fruits frais. Pêches, bleuets et framboises seront délicieux sur ce gâteau inusité. Pour une touche gourmande, ajoutez 15 ml (1 c. à soupe) de pépites de chocolat mi-sucré ou de chocolat noir concassé à l'étape 3.

VALEURS NUTRITIVES
(par portion)

355 Calories
Protéines : 9 g
Lipides : 19 g
Glucides : 37 g
Fibres : 3 g
Sodium : 153 mg

Biscuits moelleux aux brisures de chocolat

16 BISCUITS • PRÉPARATION : 15 min • CUISSON : 12 min • PRIX : 0,20 $ / portion

INGRÉDIENTS VEDETTES

haricots blancs cuits

cassonade

œufs

farine de blé entier

pépites de chocolat mi-sucré

VALEURS NUTRITIVES
(par portion)

120 Calories
Protéines : 4 g
Lipides : 4 g
Glucides : 18 g
Fibres : 2 g
Sodium : 44 mg

---

250 ml (1 tasse) de **haricots blancs** rincés et égouttés

30 ml (2 c. à soupe) d'**eau**

125 ml (1/2 tasse) de **cassonade** légèrement tassée

60 ml (1/4 tasse) de **beurre** ramolli

2 œufs

5 ml (1 c. à thé) de **vanille**

250 ml (1 tasse) de **farine de blé entier**

5 ml (1 c. à thé) de **poudre à pâte**

5 ml (1 c. à thé) de **cannelle** moulue

80 ml (1/3 tasse) de pépites de **chocolat** mi-sucré ou de chocolat noir concassé

---

1. Placer la grille au centre du four et préchauffer le four à 180 °C (350 °F).
2. À l'aide d'un robot culinaire ou d'un pied-mélangeur, réduire les haricots blancs et l'eau en une purée lisse.
3. Dans un grand bol, mélanger la cassonade et le beurre à l'aide d'un batteur à main (mixette électrique). Incorporer les œufs, la vanille et la purée de haricots blancs, puis continuer de battre jusqu'à l'obtention d'un mélange homogène.
4. Dans un autre bol, mélanger la farine, la poudre à pâte, la cannelle et les pépites de chocolat.
5. Transvider les ingrédients secs dans les ingrédients liquides et mélanger à la fourchette pour humecter.
6. Sur une plaque de cuisson recouverte de papier parchemin, répartir la pâte en 16 portions d'environ 30 ml (2 c. à soupe). Espacer légèrement les biscuits.
7. Cuire au four 12 minutes ou jusqu'à ce que les biscuits soient dorés.
8. Laisser refroidir à la température ambiante, puis transférer dans un contenant hermétique. Se conserve 1 semaine au réfrigérateur ou 2 mois au congélateur.

Astuces : Bien sûr, ce n'est pas en camouflant les haricots blancs dans ces biscuits que vous allez aider votre famille à apprivoiser les légumineuses. Préparez plutôt d'autres recettes comme un chili avec des lentilles (voir page 110) ou des quesadillas avec des haricots blancs (voir page 108). C'est en multipliant les façons d'apprêter les légumineuses que votre famille pourra les apprécier. Mais rien ne vous empêche d'ajouter des légumineuses à vos biscuits pour les rendre à la fois plus moelleux et plus nutritifs.

Variante : Vous pouvez ajouter des noix de Grenoble, des amandes tranchées ou des canneberges séchées à cette recette. Pour une version « adultes », remplacez l'eau par un espresso bien tassé au moment de réduire les haricots en purée.

Pop givrés

6 PORTIONS • PRÉPARATION : 15 min • CUISSON : 5 min • CONGÉLATION : 10 min • PRIX : 1,48 $ / portion

INGRÉDIENTS VEDETTES

chocolat noir

bananes

chapelure de biscuits Graham

amandes tranchées

noix de coco râpée

150 g (5 oz) de **chocolat noir** concassé ou 5 carrés de chocolat noir de type Baker

3 **bananes** coupées en tronçons de 2,5 cm (1 po)

24 **bâtons** à suçons

125 ml (1/2 tasse) de **noix de coco** râpée

125 ml (1/2 tasse) de **chapelure de biscuits Graham**

125 ml (1/2 tasse) d'**amandes** tranchées, écrasées avec les doigts

1. Déposer le chocolat dans un grand bol de métal (cul-de-poule). Placer ce dernier sur une petite casserole contenant environ 2,5 cm (1 po) d'eau et porter à ébullition de façon à créer un bain-marie. Remuer le chocolat régulièrement.
2. Pendant ce temps, répartir chaque garniture dans des bols différents.
3. Aussitôt le chocolat fondu, retirer le bol du bain-marie. Insérer les bâtons dans les bananes et tremper délicatement les bananes dans le chocolat pour bien les enrober.
4. Tremper ensuite les bananes enrobées dans l'une ou l'autre des garnitures et placer sur une plaque de cuisson recouverte de papier parchemin.
5. Mettre au congélateur 10 minutes pour permettre au chocolat de figer. Si désiré, congeler entièrement et sortir à la température ambiante 10 minutes avant de servir. La banane gelée aura alors la texture de la crème glacée.
Se conserve 1 mois au congélateur.

VALEURS NUTRITIVES
(par portion)

162 Calories
Protéines : 2 g
Lipides : 8 g
Glucides : 23 g
Fibres : 3 g
Sodium : 17 mg

Astuce : Vous trouverez les bâtons à suçons dans les boutiques de décoration de gâteaux ou de confection de chocolat, ou dans les magasins spécialisés en articles de cuisine. Si vous n'en trouvez pas, vous pouvez les remplacer par des bâtonnets de *popsicles*; ils sont vendus dans la section des sacs à sandwich de la plupart des épiceries.

Variante : Pourquoi ne pas varier les fruits selon vos envies? Des pops givrés préparés avec des fraises, des tranches épaisses de kiwi ou des morceaux d'ananas font aussi grande impression.

En cas d'allergie aux noix... Remplacez les garnitures par des céréales de riz soufflé (de type Rice Krispies) ou par du sucre d'érable granulé. Pour une touche de fantaisie gourmande, vous pouvez même les préparer avec des petits bonbons colorés!

Galettes à l'avoine

20 GALETTES • PRÉPARATION : 15 min • CUISSON : 12 min • PRIX : 0,28 $ / portion

INGRÉDIENTS VEDETTES

beurre

cassonade

bananes

œuf

flocons d'avoine à cuisson rapide (gruau)

125 ml (1/2 tasse) de **beurre** ramolli

125 ml (1/2 tasse) de **cassonade** légèrement tassée

3 **bananes** moyennes très mûres et écrasées (environ 250 ml / 1 tasse)

1 **œuf**

10 ml (2 c. à thé) de **vanille**

750 ml (3 tasses) de flocons d'**avoine** à cuisson rapide (gruau)

125 ml (1/2 tasse) de **farine** de blé entier

5 ml (1 c. à thé) de **bicarbonate de soude**

5 ml (1 c. à thé) de **cannelle** moulue

250 ml (1 tasse) de pépites de **chocolat** mi-sucré ou de chocolat noir concassé

1. Placer la grille au centre du four et préchauffer le four à 180 ºC (350 ºF).
2. Dans un grand bol, fouetter à la fourchette le beurre, la cassonade et les bananes. Lorsque la préparation est crémeuse, ajouter l'œuf et la vanille, puis fouetter de nouveau.
3. Dans un autre bol, mélanger l'avoine, la farine, le bicarbonate de soude et la cannelle.
4. Verser les ingrédients secs dans les ingrédients liquides et mélanger pour humecter. Ajouter le chocolat et mélanger de nouveau.
5. Répartir la préparation sur une plaque de cuisson recouverte de papier parchemin. Calculer environ 30 ml (2 c. à soupe) par galette. Aplatir légèrement à l'aide d'une fourchette.
6. Cuire au four 12 minutes ou jusqu'à ce que le contour des galettes soit légèrement doré et le centre encore tendre.
   Se conserve 1 semaine au réfrigérateur ou 2 mois au congélateur.

Astuces : Pour que vos galettes demeurent tendres sans toutefois devenir molles, assurez-vous qu'elles soient complètement refroidies avant de les transférer dans un contenant hermétique. Accompagnée d'un fruit et d'un yogourt, cette galette est idéale pour un matin pressé.

Variante : Ces galettes de base s'adaptent à tous les goûts. Ajoutez-leur des fruits séchés (canneberges, cerises, raisins secs, abricots hachés, dattes hachées), des noix de Grenoble, des amandes, des graines de citrouille, de tournesol ou de soya... Vous pouvez aussi remplacer les bananes par la même quantité de compote de pommes non sucrée.

En cas d'allergie aux produits laitiers... Utilisez une margarine sans produit laitier et remplacez le chocolat par des fruits séchés.

VALEURS NUTRITIVES
(par portion)

202 Calories
Protéines : 3 g
Lipides : 9 g
Glucides : 27 g
Fibres : 2 g
Sodium : 105 mg

Petits gâteaux fondants au chocolat

6 PORTIONS • PRÉPARATION : 20 min • CUISSON : 45 min • PRIX : 1 $ / portion

INGRÉDIENTS VEDETTES

œufs

cacao

sucre

lait

cubes de pain de blé entier

3 **œufs**

80 ml (1/3 tasse) de **cacao** en poudre

80 ml (1/3 tasse) de **sucre** blanc

250 ml (1 tasse) de **lait**

5 ml (1 c. à thé) de **vanille**

1 L (4 tasses) de cubes de **pain de blé entier** sec (pain de la veille) sans la croûte (environ 6 tranches épaisses)

80 ml (1/3 tasse) de pépites de **chocolat** mi-sucré ou de chocolat concassé

1. Placer la grille au centre du four et préchauffer le four à 180 °C (350 °F).
2. Dans un grand bol, fouetter les œufs, le cacao et le sucre. Ajouter le lait et la vanille et fouetter de nouveau pour obtenir une préparation homogène.
3. Incorporer les cubes de pain et laisser reposer 10 minutes. Bien écraser le pain à la fourchette pour qu'il se dissimule complètement dans la préparation (on ne doit plus voir de cubes).
4. Répartir la moitié de la préparation dans 6 ramequins d'environ 7,5 cm (3 po) de diamètre. Répartir le chocolat dans les ramequins et ajouter le reste de la préparation.
5. Cuire au four de 30 à 40 minutes ou jusqu'à ce que les gâteaux soient gonflés et que la lame d'un couteau insérée au centre d'un gâteau en ressorte bien chaude. Le temps de cuisson varie selon le degré d'humidité du pain.
6. Servir chaud ou tiède.
Se conserve 3 jours au réfrigérateur ou 3 mois au congélateur. Ces petits gâteaux se réchauffent au four à micro-ondes.

VALEURS NUTRITIVES
(par portion)

230 Calories
Protéines : 9 g
Lipides : 7 g
Glucides : 36 g
Fibres : 4 g
Sodium : 189 mg

Astuce : Ce gâteau est parfait pour passer les restes de chocolat de Pâques. Chaque portion coûte environ 1 $, mais si vous utilisez un vieux pain que vous auriez jeté et un restant de chocolat qui dormait dans le garde-manger, ces gâteaux vous reviennent à environ 0,50 $ la portion. Vive le recyclage alimentaire !

Variante : Pour une petite touche fruitée, vous pouvez remplacer le chocolat par une tartinade de fruits sans sucre ajouté (de type St. Dalfour). Au moment de servir ce gâteau bien chaud, pourquoi ne pas y déposer une boule de yogourt glacé à la vanille ? Voilà un dessert recyclé qui épatera même les plus pincés !

VIVRE AVEC
LES ALLERGIES

On connaît tous une personne qui souffre d'allergies alimentaires, que ce soit à l'école, au travail ou carrément à sa table. Nous devons faire rimer allergie avec solidarité : pour que nos amis allergiques se sentent les bienvenus à la maison et pour que les enfants allergiques puissent vivre leur vie d'enfant sans souci.

Le point de vue d'Alexandra

Je me suis longuement demandé ce que je pourrais dire à propos des allergies. J'ai été peu confrontée à cette réalité. Aucun de mes proches n'en souffre. Mais j'ai pris conscience avec l'entrée de mon fils à la garderie de la responsabilité qu'on a tous à ce sujet. Tout comme à l'école, où plusieurs aliments sont bannis puisqu'ils mettraient carrément en péril la vie de certains enfants.

On n'en parlait pas de cette façon il y a 30 ans, alors qu'aujourd'hui, on ne peut faire fi des allergies. Il faut vivre sur une autre planète pour n'avoir jamais entendu parler d'intolérance au gluten ou au lactose.

Cet été, alors qu'on profitait d'une des dernières belles journées en mangeant des *popsicles* – les bleus, les meilleurs, qui colorent drôlement la langue –, j'ai remarqué sur l'emballage: pas de traces de noix ou d'arachides. C'est tout dire... pour de l'eau sucrée!

Mon amie Isabelle me racontait qu'à la fin d'une journée de travail, un collègue avait mentionné qu'il ne devait pas oublier de se brosser les dents avant de rentrer à la maison, parce qu'il avait mangé une barre de chocolat contenant des arachides à l'heure du lunch et que son amoureuse y était allergique. Pour ces gens, le danger peut être partout. Et pour nous, parents ou encore employés de supermarchés et de restaurants, qui côtoyons plein de personnes allergiques – souvent même à notre insu –, la solidarité, la collaboration et la compréhension constituent un devoir. Rien de moins.

Le point de vue de Geneviève

Mon neveu et ma nièce ont plusieurs allergies, et pas les mêmes. À deux, ils ne peuvent pas manger de produits laitiers, d'œufs, de noix, d'arachides, de sésame, de poisson, de fruits de mer et de certaines légumineuses.

Pour moi, c'était dans l'ordre des choses que de m'adapter à leurs besoins. Je voulais qu'ils se sentent bienvenus et en sécurité à la maison. Encore aujourd'hui, à chaque anniversaire de ma fille, je veux que son cousin et sa cousine puissent être à ses côtés et manger le même gâteau qu'elle.

Chez moi, ça va de soi. Mais je suis consciente qu'en tant que nutritionniste, j'ai peut-être une longueur d'avance. C'est plus facile pour moi. Je sais comment remplacer les œufs dans un gâteau. Je sais quelles mesures prendre pour éviter la contamination.

Je comprends aussi qu'il peut être intimidant de cuisiner pour une personne allergique. Sa vie est entre nos mains. Quelle pression!

Lorsqu'on me demande conseil, je suggère toujours d'y aller étape par étape. Pour s'en sortir, mieux vaut poser trois tonnes de questions à la personne allergique ou à ses parents. On peut inviter la personne allergique en après-midi et s'en tenir à un petit goûter, ou lui proposer de cuisiner avec nous pour qu'elle nous explique comment elle s'y prend. Bref, rien ne sert de partir en peur et de s'en mettre trop sur les épaules. L'important, je pense, c'est de passer du bon temps avec cette personne qu'on aime.

J'APPRENDS À VIVRE AVEC LES ALLERGIES

Vous n'êtes pas seul! Selon l'Association québécoise des allergies alimentaires, 300 000 Québécois ont une allergie alimentaire les exposant à un risque de réaction grave, c'est-à-dire un choc anaphylactique[19].

LE TÉMOIGNAGE D'UNE MAMAN

«Quand notre enfant a des allergies, c'est tout l'entourage qu'il faut éduquer et informer, les grands-parents comme les amis. On apprend à vivre avec cette réalité. Ça devient aussi un enjeu quand on sort au restaurant ou encore lorsqu'on voyage. Il ne faut pas se décourager. Les premiers jours, on a l'impression que c'est la fin du monde et on se sent très seuls. Mais avec le temps, on s'adapte à notre "nouvelle" vie et, petit à petit, notre stress diminue parce qu'on apprend à mieux gérer la situation, même si c'est difficile. On réalise également avec le temps que nous ne sommes pas seuls. On a besoin du soutien des autres. Les allergies alimentaires peuvent avoir des conséquences graves. Prenons par exemple ma fille, qui est sévèrement allergique aux arachides. Si elle en mange et n'est pas traitée à temps, elle va mourir. Elle n'aura pas un mal de tête, elle ne sera pas rouge comme une tomate, elle n'aura pas des boutons partout sur le corps – elle va mourir. Une réaction allergique, c'est comme manger un aliment dont l'un des ingrédients est du poison. Personne ne veut consommer du poison. Le poison peut nous tuer ou nous rendre gravement malade. Pour les parents qui ne vivent pas avec les allergies alimentaires, le sujet est délicat. J'ai l'impression que certains d'entre eux ne comprennent pas la gravité de la situation.»

JAIME DAMAK, BLOGUEUSE ET MAMAN D'EMMA (10 ANS), QUI SOUFFRE D'UNE INTOLÉRANCE AUX ŒUFS ET AUX PRODUITS LAITIERS, ET QUI EST ALLERGIQUE AUX NOIX ET AUX ARACHIDES

JOUR DE FÊTE

Pour un enfant allergique, les grandes fêtes peuvent être particulièrement difficiles. Les bonbons d'Halloween, le chocolat de Pâques, la bûche de Noël, le cœur en chocolat à la Saint-Valentin… voilà autant de douceurs qu'il ne pourra pas savourer, sans parler du sentiment d'être «différent». Vous ferez sa journée en prévoyant une gâterie permise ou simplement en lui offrant une surprise qui ne se mange pas, mais qui le comblera de joie. Un petit gadget, une sortie ou une permission spéciale viendront égayer sa journée.

UN AMI VIT AVEC DES ALLERGIES

Une personne sur deux connaît quelqu'un qui souffre d'une ou de plusieurs allergies alimentaires. On a donc tous besoin de recettes sans ceci ou cela![21]

FEU ROUGE, FEU VERT
Un code facile et efficace!

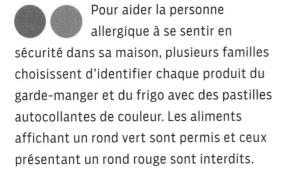 Pour aider la personne allergique à se sentir en sécurité dans sa maison, plusieurs familles choisissent d'identifier chaque produit du garde-manger et du frigo avec des pastilles autocollantes de couleur. Les aliments affichant un rond vert sont permis et ceux présentant un rond rouge sont interdits.

Lorsqu'on cuisine pour une personne allergique, il faut à tout prix éviter la contamination. Avant de commencer, on nettoie les comptoirs, les planches, les linges, les bols et les ustensiles utilisés et on n'oublie pas de se laver les mains. La moindre petite trace d'allergène peut provoquer une réaction allergique; il n'y a donc pas de risque à prendre.

3 PRÉCAUTIONS À PRENDRE À L'ÉPICERIE

- Attention aux aliments en vrac, aux aliments farcis, aux frigos à charcuterie, à fromages et à poissons, aux hachoirs à viande, aux appareils à trancher le pain et aux moulins à café. Voilà autant de sources possibles de contamination avec l'aliment auquel vous – ou votre enfant – êtes allergique.

- Vérifiez si, à proximité des aliments que vous achetez, il y a présence d'allergènes non emballés.

- Dans les commerces de fabrication artisanale (boulangeries, crèmeries, etc.), les risques de contamination croisée sont plus grands que dans les épiceries. N'hésitez pas à poser des questions et, en cas de doute, mieux vaut ne pas acheter le produit qui vous intéresse.

«Il ne faut pas avoir peur des allergies alimentaires, car il y a toujours des solutions. Comment s'y prendre si votre enfant veut inviter à la maison un ami qui souffre d'allergies? Il y a trois questions essentielles à poser. D'abord, on demande aux parents la nature des allergies. Ensuite, on s'informe sur ce que l'enfant peut manger comme repas ou collation. On demande aux parents de nous donner des exemples concrets d'aliments et même de spécifier la marque de l'aliment afin qu'il n'y ait pas de confusion. Enfin, en cas de stress, on peut tout simplement demander à l'enfant allergique d'apporter sa propre collation ou son repas.»

JAIME DAMAK, BLOGUEUSE ET MAMAN D'EMMA (10 ANS), QUI SOUFFRE D'UNE INTOLÉRANCE AUX ŒUFS ET AUX PRODUITS LAITIERS, ET QUI EST ALLERGIQUE AUX NOIX ET AUX ARACHIDES

MON ENFANT CÔTOIE DES ENFANTS ALLERGIQUES

Au Québec, dans les écoles primaires, on estime que
40 000 enfants québécois sont atteints d'allergies alimentaires[19].

POUR REMPLACER LES ŒUFS DANS UNE RECETTE DE GÂTEAU, DE MUFFINS OU DE BISCUITS…

1. Faites bouillir 750 ml (3 tasses) d'eau et 80 ml (1/3 tasse) de graines de lin pendant 30 minutes.
2. Filtrez le liquide et congelez-le en portions de 30 ml (2 c. à soupe) dans des bacs à glaçons. Jetez les graines de lin.
3. Un cube de ce liquide remplace 1 œuf. La recette donne 250 ml (1 tasse) de liquide.

LE CLUB DES 10

Tous les aliments peuvent déclencher une réaction allergique, mais les 10 plus courants sont : les arachides, les noix, les œufs, le poisson et les fruits de mer, le lait, le soya, le blé, la moutarde, les sulfites et les graines de sésame. Il se peut que votre enfant cesse d'être allergique à certains aliments, mais ce phénomène est peu probable pour les allergies au poisson et aux noix[20].

COMMENT CHOISIR UNE COLLATION SÉCURITAIRE – SANS ARACHIDES – POUR L'ÉCOLE?

L'idéal, c'est de choisir une collation non transformée, c'est-à-dire un produit frais. En offrant à notre enfant un fruit, des légumes, du fromage ou du yogourt, on évite les longues listes d'ingrédients et la possibilité d'avoir des sources cachées de noix ou d'arachides. D'ailleurs, plusieurs écoles exigent que les collations se limitent à ces aliments : fruits, légumes, fromage, yogourt. Et ce n'est pas bête: on ferme ainsi la porte à toutes les barres sucrées, aux galettes du commerce et aux collations autrement chocolatées. C'est plus sécuritaire et plus santé. Si vous tenez à offrir à votre enfant une barre tendre ou une galette pour sa collation, vous devez lire attentivement la liste des ingrédients sur l'emballage afin de repérer la présence d'arachides ou de noix.

La quantité d'allergènes nécessaires pour provoquer une réaction peut être invisible à l'œil nu. Il faut donc être **très vigilant**.

BIEN COMMUNIQUER

Annie Desrochers,
journaliste, maman d'Éloi (11 ans), d'Ulysse (9 ans), d'Albert (7 ans),
de Blanche (4 ans) et de Philémon (5 mois)

Sylviane Robini

« Mon amoureux s'implique autant que moi. Ce n'est pas toujours la même personne qui fait les sacrifices, qui est la seule à pédaler. C'est arrivé que j'aie des opportunités au travail et je lui disais : "Qu'en penses-tu ? Es-tu d'accord ? Si je le fais, ça implique tel truc, embarques-tu ?" C'est vraiment la clé, car toute seule, ça ne peut pas se faire. Même les parents séparés ont besoin de cette implication, pour que chacun puisse vivre ses aspirations. »

Jonathan Painchaud,
auteur-compositeur-interprète,
papa de Téa (4 ans)

« Les enfants captent toutes les émotions négatives qu'on nourrit. J'ai donc décidé de baser ma relation avec ma fille sur l'honnêteté et la transparence. Je lui parle de tout ce que je ressens, dans un langage à son échelle. Elle peut me poser toutes ses questions et elle sait que je vais lui répondre franchement. »

Rita Lafontaine,
comédienne, maman et grand-maman !

« Le choix des bons mots favorise l'épanouissement. Le sens des mots, comment on dit les choses. J'ai toujours fait attention à ça. Je priorise le dialogue, parce que dans mon enfance, il y avait peu d'échanges ; on n'exprimait pas beaucoup nos émotions, autant chez les religieuses qu'à la maison. J'en ai beaucoup souffert. »

« Je ne suis pas une mère envahissante. Je respecte l'intimité et les secrets. Je suis indépendante. Mais j'ai quand même été très maternelle. Communiquer est précieux. »

Fudge glacé

6 PORTIONS • PRÉPARATION : 10 min • CUISSON : 3 min • CONGÉLATION : 2 h
PRIX : 0,99 $ / portion • SANS : produits laitiers, œufs, blé, gluten, noix, arachides

INGRÉDIENTS VEDETTES

chocolat noir

sucre

avocat

tofu soyeux mou

150 g (5 oz) de **chocolat noir** concassé

60 ml (1/4 tasse) de **sucre** blanc

1 **avocat** très mûr

300 g de **tofu** soyeux mou nature

1. Dans une petite casserole, faire fondre le chocolat à feu doux en remuant constamment. Ajouter le sucre et mélanger pour bien dissoudre.
2. Au robot culinaire, réduire l'avocat et le tofu en purée lisse. Ajouter la préparation de chocolat fondu et mixer de nouveau pour bien répartir le chocolat.
3. Verser dans des contenants à sucettes glacées et congeler 2 heures.
4. Passer le contenant sous l'eau chaude quelques secondes avant de démouler.
Se conserve 2 mois au congélateur.

VALEURS NUTRITIVES
(par portion)

251 Calories
Protéines : 4 g
Lipides : 14 g
Glucides : 28 g
Fibres : 4 g
Sodium : 11 mg

Astuce : Si vous êtes allergique aux produits laitiers, assurez-vous que le chocolat utilisé soit sans trace de produits laitiers. Si désiré, remplacez le chocolat par 60 ml (1/4 tasse) de cacao pur en poudre. Dans ce cas, omettez l'étape 1 et mélangez ensemble tous les ingrédients à l'étape 2.

Variante : Cette recette se déguste aussi comme un pouding. Il suffit de ne pas la faire congeler. Elle fera fureur dans une coupe à dessert !

Muffins à l'avoine

12 PORTIONS • PRÉPARATION : 10 min • CUISSON : 20 min • PRIX : 0,25 $ / portion
SANS : produits laitiers, œufs, soya, noix, arachides

INGRÉDIENTS VEDETTES

sucre

huile végétale

bananes

farine de blé entier

flocons d'avoine

125 ml (1/2 tasse) de **sucre** blanc

125 ml (1/2 tasse) d'**huile de canola**

3 **bananes** moyennes très mûres et écrasées (environ 250 ml / 1 tasse)

125 ml (1/2 tasse) d'**eau**

10 ml (2 c. à thé) de **vanille**

500 ml (2 tasses) de **farine** de blé entier

500 ml (2 tasses) de **flocons d'avoine** à cuisson rapide (gruau)

5 ml (1 c. à thé) de **poudre à pâte**

5 ml (1 c. à thé) de **bicarbonate de soude**

5 ml (1 c. à thé) de **cannelle** moulue

1. Placer la grille au centre du four et préchauffer le four à 180 °C (350 °F).
2. Dans un grand bol, mélanger à la fourchette le sucre, l'huile et les bananes. Ajouter l'eau et la vanille, puis mélanger de nouveau.
3. Dans un autre bol, mélanger la farine de blé, les flocons d'avoine, la poudre à pâte, le bicarbonate de soude et la cannelle.
4. Incorporer les ingrédients secs aux ingrédients liquides. Mélanger à la fourchette pour humecter.
5. Répartir la préparation dans 12 moules à muffins doublés de moules de papier.
6. Cuire au four 20 minutes ou jusqu'à ce que les muffins soient dorés et qu'un cure-dent inséré au centre d'un muffin en ressorte propre. Laisser refroidir avant de démouler.

   Se conserve 1 semaine dans un contenant hermétique ou 2 mois au congélateur.

VALEURS NUTRITIVES
(par muffin)

280 Calories
Protéines : 6 g
Lipides : 11 g
Glucides : 40 g
Fibres : 4 g
Sodium : 140 mg

Astuce : C'est si pratique d'avoir une recette de muffins «de base» qu'on peut préparer les yeux fermés ! Cuisinez-les en quantité industrielle et congelez-les emballés individuellement. Vous aurez en tout temps des collations santé, sans œufs, sans noix ni produits laitiers.

Variante : Ajoutez 250 ml (1 tasse) de la garniture de votre choix pour que votre plaisir soit toujours renouvelé. Voici quelques suggestions : canneberges séchées, framboises surgelées, poires râpées, carottes râpées, raisins secs, dattes hachées, bleuets surgelés. Laissez aller votre créativité !

Crêpes à l'avoine et coulis de fruits

9 PETITES CRÊPES • PRÉPARATION : 20 min • CUISSON : 30 min • REPOS : 30 min
PRIX : 0,83 $ / crêpe (avec coulis) • SANS : produits laitiers, blé, noix, arachides

INGRÉDIENTS VEDETTES

boisson de soya

œufs

sirop d'érable

vanille

flocons d'avoine à cuisson rapide (gruau)

CRÊPES

250 ml (1 tasse) de **boisson de soya** enrichie ou autre boisson végétale enrichie

3 œufs

30 ml (2 c. à soupe) de **sirop d'érable**

5 ml (1 c. à thé) de **vanille**

375 ml (1 1/2 tasse) de **flocons d'avoine** à cuisson rapide (gruau)

5 ml (1 c. à thé) d'**huile végétale**

COULIS DE FRUITS

2 **prunes** rouges avec la pelure, dénoyautées et coupées en quartiers

6 **fraises** fraîches ou 125 ml (1/2 tasse) de fraises surgelées et décongelées

250 ml (1 tasse) de **mangue** en dés surgelée et décongelée ou 1 mangue fraîche pelée et coupée en dés

15 ml (1 c. à soupe) de **sirop d'érable** (facultatif)

CRÊPES

1. Dans un grand bol, mélanger la boisson de soya, les œufs, le sirop et la vanille.
2. Ajouter l'avoine, mélanger et laisser reposer 30 minutes (préparer le coulis pendant ce temps).
3. À l'aide d'un pinceau, badigeonner d'huile un poêlon antiadhésif. Calculer environ 60 ml (1/4 tasse) de préparation par crêpe. Cuire à feu doux 3 petites crêpes à la fois (de la grosseur d'un CD), pendant 5 minutes de chaque côté.
4. Garnir les crêpes de coulis de fruits et servir. Se conserve 3 jours au réfrigérateur ou 3 mois au congélateur.

COULIS DE FRUITS

1. Au mélangeur électrique (*blender*), réduire les prunes, les fraises et la mangue jusqu'à ce qu'il n'y ait plus de morceaux de pelure de prune. Ajouter le sirop d'érable et mixer de nouveau.
2. Transvider le coulis dans une saucière ou dans un contenant à presser, du type bouteille pour moutarde ou pour ketchup (disponible dans les boutiques d'articles de cuisine et les magasins à 1 dollar). Se conserve 1 semaine au réfrigérateur et 6 mois au congélateur.

VALEURS NUTRITIVES
(par crêpe avec coulis)

188 Calories
Protéines : 9 g
Lipides : 4 g
Glucides : 30 g
Fibres : 4 g
Sodium : 64 mg

Astuce : Doublez la recette ! Avoir des crêpes maison dans le congélateur, c'est comme avoir un atout dans son jeu... Lorsque notre enfant en a assez des céréales et des rôties, on le surprend un matin de semaine avec des crêpes maison !

Variante : Pour une texture plus soyeuse, moudre les flocons d'avoine au robot culinaire. Vous pouvez servir ces crêpes en version salée avec des légumes ou du poulet, et du fromage (ou un substitut de fromage au soya en cas d'allergie). Parfait pour un souper pas compliqué !

Gâteau moelleux aux pommes

12 PORTIONS • PRÉPARATION : 15 min • CUISSON : 50 min • PRIX : 0,28 $ / portion
SANS : produits laitiers, œufs, soya, noix, arachides

INGRÉDIENTS VEDETTES

cassonade

huile végétale

jus de pomme

farine

cannelle

VALEURS NUTRITIVES
(par portion)

393 Calories
Protéines : 4 g
Lipides : 14 g
Glucides : 64 g
Fibres : 4 g
Sodium : 124 mg

375 ml (1 1/2 tasse) de **cassonade** légèrement tassée

180 ml (3/4 tasse) d'**huile de canola**

500 ml (2 tasses) de **jus de pomme**

1 L (4 tasses) de **farine** Nutri de Robin Hood (voir page 236) ou de farine tout usage non blanchie

5 ml (1 c. à thé) de **bicarbonate de soude**

5 ml (1 c. à thé) de **cannelle** moulue

1. Placer la grille au centre du four et préchauffer le four à 180 ºC (350 ºF).
2. Dans un grand bol, dissoudre la cassonade dans l'huile à l'aide d'un fouet. Ajouter le jus de pomme et bien mélanger.
3. Dans un autre bol, mélanger la farine, le bicarbonate de soude et la cannelle. Incorporer les ingrédients secs aux ingrédients humides et fouetter jusqu'à l'obtention d'une préparation lisse et homogène.
4. Verser dans un moule à gâteau de type Bundt ou dans un moule à cheminée huilé.
5. Cuire 50 minutes ou jusqu'à ce qu'un cure-dent inséré dans le gâteau en ressorte propre. Laisser tiédir avant de démouler.
   Se conserve 1 semaine sous une cloche à gâteau ou 2 mois au congélateur.

Astuces : Ce gâteau passe-partout est idéal pour les anniversaires, mais aussi pour les simples desserts de soir de semaine. Rapide à faire, il est économique et se prépare avec des ingrédients très faciles à trouver. Il deviendra certainement un incontournable chez vous. De plus, même sans œufs ni produits laitiers, il demeure moelleux pendant plusieurs jours.

Variante : Il existe plusieurs façons de varier la présentation de ce gâteau tout simple. Remplissez sa cavité centrale avec des petits fruits frais et saupoudrez de sucre à glacer. Ou bien décorez-le avec du chocolat noir fondu et servez-le avec de la crème glacée ou un dessert glacé au soya. Et avec des pommes tranchées et caramélisées dans du sirop d'érable, il est tout simplement divin !

Mini cupcakes au chocolat

20 MINI CUPCAKES • PRÉPARATION : 20 min • CUISSON : 20 min • REPOS : 10 min
PRIX : 0,13 $ / portion • SANS : produits laitiers, œufs, soya, noix, arachides

INGRÉDIENTS VEDETTES

sucre

huile végétale

bananes

farine de blé entier

poudre de cacao

180 ml (3/4 tasse) de **sucre** blanc

60 ml (1/4 tasse) d'**huile de canola**

3 **bananes** moyennes très mûres et écrasées (environ 250 ml / 1 tasse)

125 ml (1/2 tasse) d'**eau**

15 ml (1 c. à soupe) de **vinaigre** blanc

500 ml (2 tasses) de **farine** de blé entier

125 ml (1/2 tasse) de **cacao** en poudre

7,5 ml (1/2 c. à soupe) de **bicarbonate de soude**

1. Placer la grille au centre du four et préchauffer le four à 180 ºC (350 ºF).
2. Dans un grand bol, mélanger au fouet le sucre, l'huile, les bananes, l'eau et le vinaigre.
3. Dans un autre bol, mélanger à la fourchette la farine, le cacao et le bicarbonate de soude.
4. Incorporer les ingrédients secs aux ingrédients liquides. Mélanger à la fourchette pour humecter le tout. Ne pas trop mélanger.
5. Laisser reposer 10 minutes pour favoriser la réaction chimique entre le bicarbonate de soude et le vinaigre : les cupcakes seront plus volumineux.
6. Répartir la pâte dans des moules à muffins miniatures huilés ou tapissés de moules de papier.
7. Cuire au four 20 minutes ou jusqu'à ce qu'un cure-dent inséré au centre d'un cupcake en ressorte propre. Ne pas trop cuire.
8. Laisser refroidir avant de démouler. Conserver les cupcakes dans un contenant hermétique pour éviter qu'ils ne durcissent trop rapidement.
Se conserve 5 jours dans un contenant hermétique ou 2 mois au congélateur.

VALEURS NUTRITIVES
(par cupcake)

113 Calories
Protéines : 2 g
Lipides : 4 g
Glucides : 19 g
Fibres : 2 g
Sodium : 193 mg

Astuce : Ces petits gâteaux tout mignons sont parfaits pour les fêtes d'enfants. Pas de soucis pour les allergies : tous se régaleront du même dessert ! Vous pouvez congeler quelques portions emballées individuellement. Ainsi, votre enfant allergique pourra emporter un dessert sécuritaire lors d'occasions spéciales à l'école et chez des amis.

Variante : Pour une version à la vanille, remplacez simplement le cacao par 10 ml (2 c. à thé) de vanille. Vous pouvez aussi ajouter de la confiture de fraises au centre du petit gâteau ou, pour une surprise qui ne passera pas inaperçue, un morceau de chocolat noir !

Chocolat chaud maison

2 PORTIONS • PRÉPARATION : 5 min • CUISSON : 5 min • PRIX : 0,68 $/portion
SANS : produits laitiers, œufs, blé, gluten, noix, arachides

INGRÉDIENTS VEDETTES

cacao en poudre

sucre

boisson de soya

30 ml (2 c. à soupe) de **cacao** en poudre

10 ml (2 c. à thé) de **sucre** blanc

625 ml (2 1/2 tasses) de **boisson de soya** enrichie ou autre boisson végétale enrichie (riz, amande, quinoa...), divisée

Cannelle moulue ou **cacao** en poudre (facultatif)

1. Dans une casserole, mélanger le cacao et le sucre. Ajouter 500 ml (2 tasses) de boisson de soya et chauffer à feu moyen en fouettant régulièrement jusqu'à ce que la boisson frémisse. Ne pas porter à ébullition.
2. Verser le reste de la boisson de soya dans un verre et faire mousser à l'aide d'un mousseur à lait (disponible dans les boutiques d'accessoires de cuisine).
3. Verser le chocolat chaud dans des tasses, garnir de mousse et saupoudrer de cannelle ou de cacao, si désiré. Servir immédiatement.

VALEURS NUTRITIVES
(par portion)

170 Calories
Protéines : 11 g
Lipides : 6 g
Glucides : 21 g
Fibres : 2 g
Sodium : 135 mg

Astuce : Plusieurs marques de cacao en poudre contiennent ou peuvent contenir des traces de produits laitiers. Si vous êtes allergique aux produits laitiers, n'hésitez pas à communiquer avec les fabricants pour obtenir des précisions.

Variante : Évidemment, si vous n'êtes pas allergique aux produits laitiers, vous pouvez préparer cette recette avec du lait !

 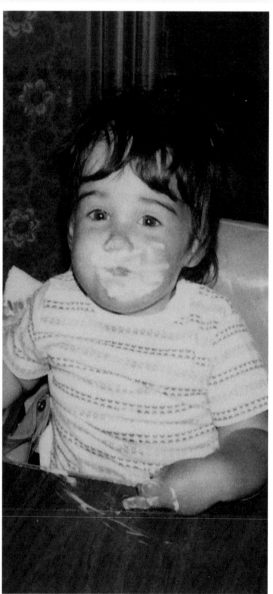

Alex   *Geneviève*

PREMIÈRES BOUCHÉES

Comme parent, les premières bouchées de bébé représentent toujours un moment très excitant. Notre bébé mange enfin! On veut lui donner les meilleurs aliments, dans le bon ordre et en bonne quantité. On a mille et une questions et on veut bien faire. Voici quelques trucs pour que votre bébé devienne un gourmand curieux, sans que vous vous en mettiez trop sur les épaules.

Le point de vue de Geneviève

Quand vient le temps de nourrir ma famille, je ne me mets pas trop de pression. Bien sûr, je cuisine beaucoup et je mets sur la table de bons aliments, mais sans en faire une fixation. Cette liberté alimentaire guide tous mes choix.

Lorsque ma fille en était à ses premières bouchées, j'ai adopté la même nonchalance éclairée. Je ne lui offrais pas n'importe quoi, mais je ne respectais pas non plus à la lettre les façons de faire en vigueur à l'époque. La suite des choses m'a donné raison. Il n'y a pas plus girouette que l'alimentation des bébés. Les recommandations changent d'année en année et d'un pays à l'autre.

J'ai fait des purées pendant les premières semaines, mais j'ai vite commencé à donner de vrais aliments à ma cocotte. Des croûtes de pain, des noyaux de mangue encore bien charnus, des cubes de tofu mou, des segments d'avocat bien mûr. Dès que j'ai vu qu'elle maîtrisait bien les aliments dans sa bouche, je lui ai offert des pâtes bien cuites, des légumes écrasés à la fourchette et des lentilles qu'elle pouvait essayer de prendre entre son pouce et son index. Ma fille est rapidement passée aux repas de grands, et moi, je n'ai pas vécu la corvée des purées dont se plaignent bien des parents.

J'ai laissé ma fille se salir et expérimenter par elle-même. Elle était épatante et s'est rapidement adaptée à la nourriture des grands. Elle est devenue une mangeuse curieuse !

Le point de vue d'Alexandra

J'aurais allaité mes enfants toute ma vie. Si on met de côté le débat sur la pression que ressentent les femmes qui ne peuvent ou ne veulent pas allaiter, c'est la façon la plus simple, la plus efficace et la plus économique de nourrir nos petits boubous. Trois ans d'allaitement au total pour moi. Si je n'avais pas dû introduire les premières bouchées, je serais encore assise comme une reine au salon avec le petit au sein, un bon roman en main. Productivité maximum, zéro effort, plaisir total. Malheureusement, je ne produisais pas de carottes ni de poulet!

J'aimais tellement l'indolence des premiers mois suivant la naissance de mes enfants que, lorsqu'est venu le temps de passer aux purées, je ne me rappelais plus où j'avais mis «la bible» du nouveau-né remise par l'hôpital et qui nous instruit sur l'introduction des premières bouchées. J'ai donc appelé ma mère, qui m'a dit que dans son temps, on donnait de la courge en purée dès le premier mois. Au Québec, la pédiatre parlait plutôt de céréales de riz au sixième mois. Tandis que lors d'un voyage en Thaïlande, une serveuse a donné un curry à ma fille qui n'avait que quatre mois!

J'ai finalement fait un peu à ma tête en m'assurant que mes bambins boivent la quantité de lait nécessaire durant leur première année. Avec l'aval de mon amie d'enfance Sophie, qui avait déjà quelques années d'expérience pour m'encourager, j'ai décidé que c'était le gros bon sens qui l'emporterait.

Rafaële Germain,
écrivaine, maman d'Élisabeth (18 mois)
et belle-maman de Marguerite (13 ans)
et de Gilbert (10 ans)

« Élisabeth va manger bien de la chnoute dans sa vie. Moi, je suis très "saleuse". Alors, j'essaie de repousser le plus possible le moment où je vais initier ma fille aux joies extraordinaires du sel, parce que je veux qu'il n'y ait que des choses saines dans ce petit corps-là et parce qu'une fois qu'elle va goûter au sel, *there's no going back !* »

Kim Thúy,
écrivaine, maman de Justin (13 ans)
et de Valmont (11 ans)

« Tout le monde est capable de manger en mettant de la nourriture dans sa bouche. Mais il faut apprendre à savourer et à apprécier le travail de la personne qui a cuisiné. »

LA CONSERVATION DES PURÉES MAISON[23]

Type de purée	Au frigo	Au congélateur
Légumes et fruits	2 ou 3 jours	6 à 8 mois
Viande	1 ou 2 jours	1 ou 2 mois
Viande avec légumes	1 ou 2 jours	1 ou 2 mois

MON BÉBÉ DE 3 MOIS A TOUJOURS FAIM !

Pour satisfaire un bébé affamé de moins de 6 mois, augmentez le nombre de boires. Vous pouvez lui donner du lait tant qu'il en demande. L'enfant ressent clairement le signal de satiété qui lui dit quand arrêter de boire. Fiez-vous à son appétit. En ajoutant les aliments trop tôt dans l'alimentation de votre bébé, vous réduiriez son apport en lait, qui est essentiel pour son développement.

BÉBÉ EST PRÊT POUR LES PURÉES SI[24]:

- Il a 5 ou 6 mois.
- Il se tient en position assise et est capable de faire non de la tête pour exprimer un refus.
- Il boit plus (nombre plus élevé de tétées ou de biberons) et il ne semble pas repu après son boire.
- Il est capable de serrer les lèvres autour d'une cuillère.

« Avec un enfant, **il faut travailler sur soi** avant de travailler sur lui. »

CLAUDIA LAROCHELLE, ÉCRIVAINE ET ANIMATRICE, MAMAN D'OPHÉLIE (2 MOIS)

LES PURÉES VERS L'ÂGE DE 6 MOIS[25]

Pourquoi pas plus tôt ? Avant l'âge de 6 mois, bébé ne possède pas toutes les enzymes nécessaires pour bien digérer les aliments, et son système immunitaire n'est pas encore à point. Vers l'âge de 6 mois, ou quelques semaines avant, le lait ne suffit plus et bébé est alors assez grand pour avaler ses premières bouchées. **Pourquoi pas plus tard ?** Si on retarde l'introduction des purées au-delà de 7 mois, bébé pourrait développer des carences et avoir plus de difficulté à s'adapter aux nouveaux aliments.

Josée Boudreault,
animatrice, maman de Chloé (12 ans), d'Annabelle (5 ans) et de Flavie (3 ans)

« Quand je vois une femme enceinte jusqu'aux oreilles, je la félicite et je lui dis qu'elle est radieuse. Même si ce n'est pas vrai, ça lui fait du bien. Je suis menteuse avec les femmes enceintes et elles le méritent, ce mensonge! Moi, j'ai été une horreur, enceinte. Heureusement, les gens autour de moi m'ont assez aimée pour me mentir. »

« Les enfants sont beaucoup plus débrouillards et autonomes qu'on ne le croit. Mais on n'est pas toujours patients avec eux. Je demande donc aux miens de commencer à s'habiller dix minutes avant le moment où je vais les rejoindre pour compléter l'habillement. Mes filles prennent de la pratique... et de l'avance! »

Jacques Brisebois

Claudia Larochelle,
écrivaine et animatrice, maman d'Ophélie (2 mois)

« Mes parents nous ont inculqué des valeurs d'honnêteté et de sérénité. On a donc toujours dormi sur nos deux oreilles. »

N'attendez pas trop avant d'offrir **des morceaux** d'aliments à votre enfant. S'il mange des purées trop longtemps, il risque d'être plus paresseux et capricieux lorsque viendra le temps de manger comme les grands.

PARENTS FUTÉS

« J'ajoute du quinoa aux purées déjà faites pour leur donner de la texture. »

ANNE SOPHIE ARCHAMBAULT, MAMAN DE PÉNÉLOPE (5 ANS) ET DE CLÉMENCE (3 ANS)

« Je ne fais pas de purées lisses ; j'utilise le pilon à pommes de terre pour qu'il y ait des morceaux ! »

ELISE BELOUIN

Olivia Lévy,
journaliste, mère d'Inès (2 ans) et de Romain (1 an)

« On ne dit pas à quel point le manque de sommeil, c'est difficile. On n'est pas tous comme Grégory Charles ! Lui, ça ne le dérange pas de dormir deux heures. C'est le superman du sommeil ! »

Rima Elkouri,
chroniqueuse, mère de deux enfants (9 ans et 7 ans)

« Au départ, je voulais faire comme dans les livres. J'en ai lu 3 000 ! Puis, avec l'expérience, je me suis rendu compte que chaque enfant est différent, chaque enfant a ses défis. Tu mets un peu d'eau dans ton vin, et tu en laisses passer. »

5 BONNES RAISONS POUR FAIRE DES PURÉES MAISON

1. Les purées maison coûtent en moyenne deux fois moins cher que les purées du commerce.
2. Vous pouvez adapter la texture de la purée aux capacités de votre bébé, contrairement aux purées du commerce qui n'offrent qu'une seule texture : ultra-lisse.
3. Vous pouvez faire de multiples variétés. Avez-vous déjà vu des purées de panais, d'aubergine ou d'asperges au super-marché ? Faites maison, ces purées sont pourtant si bonnes !
4. Vous n'ajoutez aucun agent de conservation et vous contrôlez la qualité des ingrédients de vos purées.
5. Les purées faites maison goûtent meilleur ! Avez-vous déjà mangé de la purée de banane en pot ? Pas terrible...

AVANT OU APRÈS LE LAIT[24] ?

- Jusqu'à l'âge de 8 ou 9 mois, faites boire bébé puis offrez-lui son repas.
- Après l'âge de 9 mois, offrez-lui son repas d'abord et terminez avec le boire.
- On peut laisser passer 30 minutes entre la nourriture et le boire.

PAR QUEL ALIMENT COMMENCER?

L'ordre d'introduction des aliments n'est pas si important; il varie selon les coutumes et la culture de chaque pays. Voici quelques pistes pour vous guider:

- On peut débuter avec les céréales pour nourrissons enrichies en fer (riz, avoine, orge, soya, blé). On commence d'abord par le riz (la céréale la moins allergène) et on progresse vers l'avoine, l'orge, le soya et le blé.
- Il est maintenant recommandé d'introduire la viande (poulet, dinde, agneau, porc, bœuf) avant même d'offrir des légumes et des fruits. Cette nouvelle façon d'alimenter les bébés s'explique par le taux élevé d'anémie chez les nourrissons canadiens et par des études qui démontrent que lorsque la viande est offerte avant les légumes et les fruits, elle est mieux reçue par les plus difficiles[25].
- Peu importe l'ordre que vous adoptez, choisissez des aliments nutritifs et sans assaisonnement.
- Introduisez un seul nouvel aliment à la fois et attendez quelques jours avant d'en ajouter un autre. Vous pourrez identifier rapidement si un aliment provoque un inconfort ou une allergie chez votre enfant.

Kim Thúy,
écrivaine, maman de
Justin (13 ans) et
de Valmont (11 ans)

« Lorsque Justin n'avait que quelques mois, je prenais une cuillère et je grattais une pomme pelée pour en faire une purée instantanée. Pratique! »

✦ LE TRUC DE LA PRO ✦
Caroline Dumas,
chef et fondatrice de Soupesoup

Dominique Lafond

LES PURÉES AU FOUR

« La grande qualité des purées faites à partir de légumes cuits au four, c'est que ce type de cuisson concentre les saveurs et les rend naturellement plus sucrés. Ça les caramélise.

Brossez les légumes et conservez la pelure. Placez-les sur une plaque et recouvrez d'un papier d'aluminium. Enfournez à 180 °C (350 °F) jusqu'à ce que la lame d'un couteau s'insère facilement dans le légume. Si la cuisson n'est pas assez rapide, ajoutez 60 ml (1/4 tasse) d'eau, ce qui produira une cuisson à la vapeur. Pelez le légume et réduisez-le en purée au robot, ou simplement à la fourchette si vous faites régulièrement des purées en petites quantités. On peut parfumer avec des herbes que l'on retirera avant de servir. »

Lorsque l'enfant **commence à manger**, il réduit sa consommation de lait. N'hésitez pas à lui offrir de l'eau entre les repas pour qu'il soit bien hydraté, surtout l'été!

QUOI PENSER DES PURÉES COMMERCIALES POUR BÉBÉS?

Au Canada, les purées vendues à l'épicerie et à la pharmacie sont régies par des règles strictes d'hygiène et de contrôle de qualité. Elles sont donc sécuritaires pour les bébés. Vous n'avez pas le temps ou l'énergie de faire des purées maison? Optez pour des purées commerciales qui ne contiennent rien d'autre que l'aliment vedette (fruit, légume ou viande), de l'eau et de l'acide ascorbique (vitamine C), ajoutée à certaines purées pour préserver leur couleur.

PARENT FUTÉ

« J'ai rapidement fait des mélanges de purées et mes bébés en raffolaient. Ma purée "tajine" était délicieuse (agneau, pruneau, couscous, carottes, oignons, cannelle). J'ai aussi fait des purées "pâté à la truite" (truite, lait, patates, carottes, oignon, épinards, laurier), "poisson créole" (poisson blanc, céleri, fenouil, poivron, tofu, riz, curcuma) et "cigares au chou" (veau, tomate, zeste de citron, oignon, menthe, riz). Faut s'amuser ! »

SOPHIE VINCENT, MAMAN D'EUGÉNIE (7 ANS) ET DE CLÉOPHÉE (2 ANS)

François Hamelin,
juge, papa de Pierre-Marc (35 ans), de Marie-Noëlle (33 ans) et de Justine (30 ans)

« La moitié de ma vie ne dépend pas de moi. Elle dépend des qualités inhérentes que j'ai reçues, de mes gènes, de mon intelligence. L'autre moitié de ma vie, cependant, je peux la prendre en charge. Ce n'est pas une garantie que ça va marcher, mais ça me permet de focaliser sur les choses qui peuvent me conduire au bonheur. Si je pleure et que je m'apitoie sur mon sort, est-ce que ça va changer les choses? Non, alors je cesse de pleurer. »

PARENT FUTÉ

« Lorsque mes enfants étaient bébés, j'ai beaucoup utilisé le filet à nourriture. On met un gros morceau dedans, le bébé gruge et fait sortir lui-même la purée par les petits trous. Ça a été magique pour mes trois enfants. Les fruits bien mûrs ont fait fureur ! »

NADIA GAGNÉ

L'ABC DES PURÉES MAISON

1. Lavez bien vos mains et les surfaces de travail avant de préparer les purées.

2. Lavez et pelez les fruits et les légumes, et enlevez les parties abîmées. Choisissez des ingrédients de qualité, mûrs et très frais.

3. Dans un petit chaudron contenant un peu d'eau, cuire à couvert le légume ou le fruit jusqu'à ce qu'il soit bien tendre.

4. Ensuite, réduisez-le en purée à l'aide d'un mélangeur électrique (*blender*) ou d'un robot culinaire. Préparez les purées en petites quantités pour adapter la texture selon l'évolution de votre enfant. Au besoin, ajoutez un peu d'eau de cuisson. Les carottes, les navets, les épinards et les betteraves sont quatre aliments riches en nitrates dont il ne faut pas garder l'eau de cuisson. Utilisez plutôt de l'eau fraîche.

5. N'ajoutez ni sel, ni sucre, ni beurre, ni assaisonnement à la purée. Votre enfant va ainsi découvrir le vrai goût de chaque aliment.

6. Les purées maison se conservent 48 heures au réfrigérateur et 6 mois au congélateur. Mais il n'est pas conseillé d'en cuisiner trop à l'avance, afin d'ajuster les textures selon l'évolution de votre bébé. La transition vers des repas « de grands » sera plus facile.

7. Vous pouvez utiliser des bacs à glaçons pour diviser votre purée en petites portions. Une fois que les cubes sont congelés, transvidez-les dans des sacs hermétiques. Notez le contenu et la date.

8. Au moment du repas, décongelez seulement la quantité nécessaire (1 ou 2 cubes). Attention à la décongélation au four à micro-ondes; certaines parties peuvent être brûlantes alors que d'autres sont encore congelées. Mélangez bien et goûtez aux purées avant de les offrir à bébé. La purée devrait être tiède.

9. Si vous offrez deux ou trois aliments différents au même repas, ne les mélangez pas, afin que bébé puisse bien distinguer les saveurs. Offrir les purées séparément permet aussi à bébé de s'habituer à la variété.

10. La quantité varie selon l'appétit de bébé et ses poussées de croissance. Au début, 2 ou 3 cuillères suffisent. Mais un mois plus tard, il n'est pas rare que bébé mange 60 ml (1/4 tasse) de purée par repas.

Gilles Barbot,
athlète et chef d'entreprise, papa de Louis (12 ans), de Vianney (9 ans), de Nina (2 ans) et de bébé Malo

« J'ai parfois dû quitter les chemins pour créer mes propres traces. Mes parents n'étaient pas d'accord, mais ils m'ont laissé faire parce que j'y croyais. J'offre la même liberté à mes enfants. Même si ça peut être très difficile. Il faut assumer ses choix. »

POUR BÉBÉ :
Purée de courge et lentilles

4 PORTIONS · PRÉPARATION : 15 min · CUISSON : 25 min · PRIX : 0,26 $ / portion

INGRÉDIENTS VEDETTES

courge Butternut

lentilles cuites

prunes

1 petite ou 1/2 grosse **courge Butternut** pelée et coupée en cubes (environ 750 g ou 1 1/2 lb)

1 boîte de 540 ml (19 oz) de **lentilles** rincées et égouttées

1 **fruit** mûr (prune, pêche ou mangue)

1. Dans une casserole moyenne remplie de 2,5 cm (1 po) d'eau, cuire la courge 15 minutes à feu moyen-vif. Retirer du feu.
2. Prélever 250 ml (1 tasse) de courge et 125 ml (1/2 tasse) de liquide de cuisson, puis égoutter le reste et réserver pour la recette de la page 282.
3. **Pour les bébés de 6 ou 7 mois** : au mélangeur électrique (*blender*), réduire la courge avec l'eau de cuisson jusqu'à l'obtention d'une purée lisse. Ne pas assaisonner. Servir avec des céréales pour bébé et terminer le repas avec une purée de fruits.
4. **Pour les bébés de 8 mois et plus** : à la fourchette, écraser la courge pour obtenir une purée grumeleuse. Ajouter un peu d'eau de cuisson au besoin. La présence de morceaux tendres permet au bébé de s'exercer à manger des aliments solides. Servir avec 30 ml (2 c. à soupe) de lentilles et terminer le repas avec un fruit très mûr coupé en petits morceaux ou pilé à la fourchette. Les légumineuses peuvent être offertes aux bébés dès l'âge de 7 mois. Toutefois, les lentilles demandent un peu plus d'entraînement. Vers l'âge de 9 mois, les bébés mastiquent plus habilement les aliments.
Se conserve 5 jours au réfrigérateur ou 6 mois au congélateur.

VALEURS NUTRITIVES
(par portion)

46 Calories
Protéines : 2 g
Lipides : 0 g
Glucides : 9 g
Fibres : 2 g
Sodium : 83 mg

Astuce : Il est très tentant de cuisiner de grandes quantités de purées pour bébé afin d'avoir un peu de temps devant soi. Mais comme les habiletés de la plupart des enfants évoluent rapidement, vous pourriez être pris avec des réserves de purées lisses alors que votre bébé est prêt à manger des aliments plus solides. Si vous voulez prendre de l'avance, faites cuire les légumes et congelez-les en portions individuelles. Il ne vous restera qu'à les réduire en purée ou à les écraser à la fourchette au moment de servir.

POUR LA FAMILLE :
Potage-repas à la courge et au gingembre

4 PORTIONS · PRÉPARATION : 15 min · CUISSON : 25 min · PRIX : 1,58 $ / portion

INGRÉDIENTS VEDETTES

courge Butternut

lentilles cuites

bouillon de poulet

gingembre frais

lait

1 petite ou 1/2 grosse **courge Butternut** pelée et coupée en cubes (environ 750 g ou 1 1/2 lb)

5 ml (1 c. à thé) d'**huile végétale**

1 petit **oignon** haché finement

1 boîte de 540 ml (19 oz) de **lentilles** rincées et égouttées

375 ml (1 1/2 tasse) de **bouillon de poulet** ou de légumes réduit en sodium

10 ml (2 c. à thé) de **gingembre frais** râpé

375 ml (1 1/2 tasse) de **lait**

Poivre du moulin et **sel**

GARNITURE (FACULTATIF)

Crème champêtre 15 % m.g.

Ciboulette ciselée

Poivre du moulin

SUITE DE LA RECETTE DE LA PAGE 280 :

1. Dans la casserole utilisée pour cuire la courge, chauffer l'huile à feu moyen et cuire l'oignon 5 minutes en remuant de temps en temps. Ajouter la courge égouttée (voir page 280), le reste des lentilles, le bouillon et le gingembre, puis porter à ébullition.
2. Verser le potage dans la jarre du mélangeur électrique (*blender*) et mixer jusqu'à l'obtention d'une texture lisse. Ajouter le lait, poivrer généreusement, saler et mélanger. Réchauffer au besoin.
3. Pour servir, garnir chaque portion d'un peu de crème, de ciboulette et de poivre concassé. Accompagner de fromage et de craquelins.
   Se conserve 5 jours au réfrigérateur ou 6 mois au congélateur. Ajouter la garniture au moment de servir.

VALEURS NUTRITIVES
(par portion)

221 Calories
Protéines : 12 g
Lipides : 4 g
Glucides : 37 g
Fibres : 6 g
Sodium : 564 mg

Variante : Dans cette recette, remplacez la courge par de la patate douce ou des carottes. Vous pouvez aussi préparer le potage sans lentilles. Il fera une belle entrée pour la famille, mais devra être accompagné d'une purée de viande pour compléter le repas de bébé.

POUR BÉBÉ :
Purée de ratatouille et purée de saumon

2 PORTIONS • PRÉPARATION : 15 min • CUISSON : 40 min • PRIX : 1,82 $ / portion

INGRÉDIENTS VEDETTES

oignon rouge

aubergine

poivrons colorés

courgette

saumon

RATATOUILLE

1 **oignon** rouge

1 **aubergine** moyenne

2 **poivrons** colorés

1 **courgette** verte (zucchini)

7,5 ml (1/2 c. à soupe) d'**huile d'olive**

1 boîte de 796 ml (28 oz) de **tomates** en dés égouttées

SAUMON

150 g (5 oz) de **saumon**, soit 1 morceau de 5 cm (2 po) de largeur

60 ml (1/4 tasse) de **lait** pour bébé (voir astuce)

RATATOUILLE

1. Couper l'oignon, l'aubergine, les poivrons et la courgette en dés et de taille semblable (2 cm / 3/4 po de côté).
2. Dans une casserole moyenne, chauffer 7,5 ml (1/2 c. à soupe) d'huile et cuire l'oignon et l'aubergine à feu moyen-vif 5 minutes en remuant de temps en temps. Ajouter les poivrons et les courgettes et cuire 10 minutes. Ajouter les tomates et poursuivre la cuisson 10 minutes de plus ou jusqu'à ce que les légumes soient tendres.
3. Réserver 250 ml (1 tasse) de ratatouille et la réduire en purée à l'aide d'un pied-mélangeur ou d'un mélangeur électrique (*blender*). Elle servira au repas du bébé. Se conserve 4 jours au réfrigérateur ou 2 mois au congélateur.

SAUMON

1. Couper le morceau de saumon en dés d'environ 2,5 cm (1 po).
2. Dans une petite casserole, chauffer le lait à feu moyen. Déposer le saumon et pocher de 4 à 5 minutes. Retirer du feu.
3. Au pied-mélangeur, réduire le poisson en purée avec un peu de lait ou l'écraser à la fourchette avec un peu de lait selon la texture désirée et les capacités du bébé. Se conserve 2 jours au réfrigérateur ou 1 mois au congélateur.

VALEURS NUTRITIVES
(par portion)

223 Calories
Protéines : 17 g
Lipides : 13 g
Glucides : 10 g
Fibres : 2 g
Sodium : 63 mg

Astuce : La ratatouille peut être proposée aux bébés de 7 mois et plus s'ils ont déjà goûté à tous les légumes qui la composent. Ajustez la texture selon l'évolution de votre enfant. La présence de morceaux tendres est souhaitable dès l'âge de 8 ou 9 mois. Le saumon peut être proposé aux bébés de 7 mois et plus. Pour les bambins de 7 à 9 mois, faites pocher le poisson dans du lait maternel ou de la préparation pour nourrisson. À partir de 9 mois, vous pouvez commencer à utiliser du lait de vache entier.

POUR LA FAMILLE :
Saumon et ratatouille gratinée

4 PORTIONS • PRÉPARATION : 15 min • CUISSON : 40 min • PRIX : 4,46 $ / portion

INGRÉDIENTS VEDETTES

oignon rouge

aubergine

poivrons colorés

courgette

saumon

RATATOUILLE

1 **oignon** rouge

1 **aubergine** moyenne

2 **poivrons** colorés

1 **courgette** verte (zucchini)

15 ml (1 c. à soupe) d'**huile d'olive**, divisée en 2

1 boîte de 796 ml (28 oz) de **tomates** en dés égouttées

15 ml (1 c. à soupe) d'**herbes de Provence** ou de fines herbes séchées à l'italienne

Poivre du moulin et **sel**

SAUMON

600 g (1 1/4 lb) de **saumon**, soit 4 morceaux de 5 cm (2 po) de largeur

250 ml (1 tasse) de **mozzarella** partiellement écrémé, râpé (100 g / 3,5 oz)

30 ml (2 c. à soupe) de **parmesan** fraîchement râpé

SUITE DE LA RECETTE DE LA PAGE 284 :

RATATOUILLE

1. Au reste de la ratatouille, ajouter les herbes, poivrer généreusement et ajouter une pincée de sel. Retirer du feu et réserver. Se conserve 4 jours au réfrigérateur ou 2 mois au congélateur.

SAUMON

1. Dans un poêlon antiadhésif, chauffer 7,5 ml (1/2 c. à soupe) d'huile et dorer à feu moyen-vif les 4 morceaux de saumon restants, de 2 à 3 minutes de chaque côté. La cuisson du poisson se poursuivra au four.
2. Placer la grille au centre du four et préchauffer le gril (*broil*).
3. Placer les morceaux de saumon dans un plat de cuisson, ajouter la ratatouille assaisonnée, garnir de fromages mozzarella et parmesan, puis passer sous le gril de 3 à 4 minutes pour dorer le fromage. Servir avec une baguette de blé entier. Se conserve 2 jours au réfrigérateur ou 1 mois au congélateur.

VALEURS NUTRITIVES
(par portion)

504 Calories
Protéines : 41 g
Lipides : 29 g
Glucides : 19 g
Fibres : 5 g
Sodium : 358 mg

Variante : La ratatouille est un bon dépanneur pour les repas de bébés. Vous pouvez ajouter à ce plat des lentilles en boîte, rincées et égouttées. Il est également possible de servir la ratatouille avec des pâtes alimentaires bien cuites ou du riz. Lorsque votre bébé maîtrisera mieux les textures, laissez de plus gros morceaux de légumes dans la ratatouille et intégrez-y une viande très tendre coupée finement. Voilà un plat idéal pour une transition tout en douceur vers les repas des autres membres de la famille.

POUR BÉBÉ :
Purée de légumes blancs

4 PORTIONS • PRÉPARATION : 15 min • CUISSON : 30 min • PRIX : 0,66 $ / portion

**INGRÉDIENTS
VEDETTES**

chou-fleur

pommes de terre

panais

poireau

oignon jaune

1 petit **chou-fleur** en bouquets d'environ 625 g ou 1 1/4 lb

350 g (3/4 lb) de **pommes de terre** pelées et coupées en gros cubes (2 moyennes)

2 **panais** moyens pelés en rondelles

1 blanc de **poireau** en rondelles

1 **oignon** jaune haché grossièrement

1. Déposer le chou-fleur, les pommes de terre, le panais, le poireau et l'oignon dans une grande casserole et ajouter 2,5 cm (1 po) d'eau. Couvrir, porter à ébullition, réduire à feu moyen et cuire 25 minutes ou jusqu'à ce que la pointe d'un couteau insérée dans le panais en ressorte facilement. Retirer du feu.
2. Prélever environ le tiers des légumes et les égoutter avec une cuillère à trous. Réduire en purée au mélangeur ou écraser à la fourchette. Les capacités du bébé détermineront la texture de la purée. Ajouter un peu d'eau au besoin. Laisser tiédir avant de servir. Se conserve 4 jours au réfrigérateur ou 2 mois au congélateur.

**VALEURS
NUTRITIVES**
(par portion)

60 Calories
Protéines : 2 g
Lipides : 0 g
Glucides : 13 g
Fibres : 2 g
Sodium : 22 mg

Astuce : Avant d'offrir à bébé cette purée de légumes mélangés, assurez-vous qu'il ait goûté à chaque aliment séparément. Cette précaution permet à votre bambin de distinguer le vrai goût de chaque légume et vous aide à déterminer si votre enfant a une allergie alimentaire.

POUR LA FAMILLE :
Potage blanc et prosciutto croustillant

6 PORTIONS • PRÉPARATION : 15 min • CUISSON : 30 min • PRIX : 1,63 $ / portion

INGRÉDIENTS VEDETTES

chou-fleur

pommes de terre

panais

poireau

oignon jaune

1 petit **chou-fleur** en bouquets d'environ 625 g ou 1 1/4 lb

350 g (3/4 lb) de **pommes de terre** pelées et coupées en gros cubes (2 moyennes)

2 **panais** moyens pelés en rondelles

1 blanc de **poireau** en rondelles

1 **oignon** jaune haché grossièrement

250 ml (1 tasse) de **bouillon de poulet** maison ou du commerce réduit en sodium

Piment de **Cayenne** et **sel** (facultatif)

4 tranches de **prosciutto**

2 **oignons verts** hachés (parties blanche et verte)

30 ml (2 c. à soupe) de **parmesan** fraîchement râpé

Poivre du moulin

SUITE DE LA RECETTE DE LA PAGE 288 :

1. Égoutter le reste des légumes de la page 288 et les déposer dans la jarre du mélangeur électrique (*blender*). Ajouter le bouillon de poulet et réduire en purée lisse. Assaisonner d'une pincée de piment de Cayenne et de sel si désiré.

2. Placer les tranches de prosciutto entre deux feuilles de papier absorbant (essuie-tout) et les déposer sur une assiette. Cuire au four à micro-ondes de 2 à 3 minutes ou jusqu'à ce que le prosciutto devienne très croustillant. Laisser tiédir puis émietter avec les doigts.

3. Au moment de servir, garnir chaque portion de miettes de prosciutto, d'oignons verts, de parmesan et de poivre concassé.
   Le potage se conserve 4 jours au réfrigérateur ou 3 mois au congélateur. Ajouter la garniture au moment de servir.

VALEURS NUTRITIVES
(par portion)

120 Calories
Protéines : 7 g
Lipides : 2 g
Glucides : 19 g
Fibres : 3 g
Sodium : 386 mg

Variante : Amusez-vous à créer des potages en mariant des légumes de la même couleur : légumes verts (brocoli, courgettes, céleri, asperges, chou vert...), légumes orange (carottes, courge, citrouille, patate douce, poivrons orange...) et légumes rouges (betteraves, chou rouge, poivron rouge, oignon rouge...). Votre bébé sera le premier à être intrigué par la couleur de ses purées !

Le mot d'Alexandra

J'aimerais remercier Dominique Chaloult, grande patronne de Télé-Québec et amie. Toute l'aventure futée a pris forme grâce à toi.

Marc, Henri et Simone, mes chéris, vous avez été d'un appui et d'une générosité qui m'ont permis de réaliser ce projet qui me tenait tant à cœur, merci d'être là. Merci à mes parents, à mon petit frère Julian et à ma petite sœur Anouk. Je suis émue d'avoir travaillé avec vous.

Merci à mes amies que j'aime comme des sœurs : Sophie Tremblay, Sophie Banford (nos photos sont plus belles grâce à ta maison et ton chalet), Isabelle Massé, Caroline de la Ronde, Stéphanie Aubin, Tamara Alteresco, Anny Régis, Catherine Jacques, Marie-Noelle Hamelin, Vicky Boudreau, Nadège Pouyez et Marilou Hainault. Avec vos chums et vos enfants, vous m'inspirez deux caisses de livres sur la famille.

Et quelle aventure extraordinaire à quatre mains, belle Geneviève. Merci pour ta confiance et les beaux souvenirs ! Je ne pouvais souhaiter meilleur baptême d'édition.

Alexandra

Le mot de Geneviève

Merci, Alex, de m'avoir convaincue de plonger dans ce projet de livre. Ce n'était pas prévu, j'ai dû tout tasser, mais quelle belle aventure ! Combien de nuits blanches, de revirements et de beaux moments nous avons vécus en travaillant ensemble sur ce livre.

À Dominique Chaloult, Isabelle Albert et Nadège Pouyez, merci d'avoir cru en mon projet télé. Le plaisir et le bonheur que me procure *Cuisine futée, parents pressés* est bien au-delà de mes espérances. Quelle chance j'ai de travailler avec vous ! Merci également à Vincent Gourd de m'avoir suivie depuis les débuts de *Cuisine futée*.

Merci à Mélissa Morrone, Sarah Rousseau et Christiane Hébert, mes cobayes, d'avoir révisé, commenté et testé les recettes de ce livre. Votre regard de « mamans pressées » est si précieux pour moi !

À Stéphane et Maude, mes amours, un immense merci. Je suis tellement privilégiée de vous avoir dans ma vie. Merci aussi à mes amis d'être si compréhensifs. Lorsqu'un projet de livre entre dans ma vie, les soirées entre copains en prennent un coup. On se rependra bientôt, promis !

Geneviève

Nous voulons également remercier de tout cœur les personnalités, chefs et experts qui nous ont accordé leur confiance. Merci aux équipes de Télé-Québec et de B-612 Communications, respectivement diffuseur et producteur de *Cuisine futée, parents pressés*. Merci à tous ceux qui nous écrivent sur la page Facebook de *Cuisine futée*. Vos questions, vos commentaires et vos suggestions nous inspirent et nous stimulent. Merci à Brigitte Gasparyan et Véronique Saine pour les magnifiques bijoux et vêtements (bijouterie Agatha Paris et Billie Boutique). Enfin, merci à toute l'équipe des Éditions La Semaine et plus particulièrement à Pierre Bourdon, Annie Tonneau, Lyne Préfontaine et Jean-François Gosselin. Nous sommes touchées par votre appui.

1 *Tout le monde à table*, Rapport national, Sommaire. 2012. p. 27.

2 *Tout le monde à table*, Rapport national, Sommaire. 2012. p. 27.

3 Dulude, G. *Relations entre le style parental, le style parental alimentaire et les pratiques alimentaires de la mère et les comportements alimentaires de l'enfant québécois d'âge préscolaire*. Dépôt institutionnel numérique 2011; https://papyrus.bib.umontreal.ca/xmlui/handle/1866/6086.

4 Dulude, G. *Relations entre le style parental, le style parental alimentaire et les pratiques alimentaires de la mère et les comportements alimentaires de l'enfant québécois d'âge préscolaire*. Dépôt institutionnel numérique 2011; https://papyrus.bib.umontreal.ca/xmlui/handle/1866/6086.

5 *Vegetarian Restaurants & Health Food Stores in Quebec*, Happy Cow, consulté le 8 juillet 2013; http://www.happycow.net/north_america/canada/quebec/.

6 *Où manger végétalien à Québec?* Vegan Québec 2009, consulté le 8 juillet 2013; http://www.veganquebec.net/spip.php?article167.

7 O'Loughlin, E.K., et al. «Prevalence and Correlates of Exergaming in Youth». *Pediatrics*, 2012. 130(5): p. 806-814.

8 Santé Canada. *Enquête canadienne sur les mesures de la santé : L'activité physique mesurée directement des Canadiens*, 2007 à 2011, consulté le 8 juillet 2013; http://www.statcan.gc.ca/daily-quotidien/130530/dq130530d-fra.htm.

9 Santé Canada. *Le mercure présent dans le poisson. Consigne de consommation à l'égard du mercure présent dans le poisson : Choisir en toute connaissance de cause*, consulté le 8 juillet 2013; http://www.hc-sc.gc.ca/fn-an/securit/chem-chim/environ/mercur/cons-adv-etud-fra.php.

10 Santé Canada. *Le mercure présent dans le poisson. Consigne de consommation à l'égard du mercure présent dans le poisson : Choisir en toute connaissance de cause*, consulté le 8 juillet 2013; http://www.hc-sc.gc.ca/fn-an/securit/chem-chim/environ/mercur/cons-adv-etud-fra.php.

11 *Consommation de poisson dans le monde*. Statistiques mondiales en temps réel, consulté le 8 juillet 2013; http://www.planetoscope.com/peche/179-consommation-de-poissons-dans-le-monde.html.

12 *Les Québécois consomment une plus grande variété de poissons*, selon un sondage. 2009, consulté le 8 juillet 2013; http://www.passeportsante.net/fr/Actualites/Nouvelles/Fiche.aspx?doc=2009020684_les-quebecois-consomment-une-plus-grande-variete-de-poissons-selon-un-sondage.

13 *Les Québécois consomment une plus grande variété de poissons*, selon un sondage. 2009, consulté le 8 juillet 2013; http://www.passeportsante.net/fr/Actualites/Nouvelles/Fiche.aspx?doc=2009020684_les-quebecois-consomment-une-plus-grande-variete-de-poissons-selon-un-sondage.

14 Statistique Canada - *Enquête sur la santé dans les collectivités canadiennes* (ESCC).

15 Dispensaire diététique de Montréal.

16 *Tout le monde à table*, Rapport national, Sommaire. 2012. p. 27.

17 Lambert-Chan, M. *Une nouvelle étude examine les liens entre le sommeil, l'alimentation et l'humeur*. UdeMNouvelles 2013, consulté le 8 juillet 2013; http://www.nouvelles.umontreal.ca/recherche/sciences-de-la-sante/20130603-une-nouvelle-etude-examine-les-liens-entre-le-sommeil-lalimentation-et-lhumeur.html.

18 Langlois K., G.D. *Consommation de sucre chez les Canadiens de tous âges*. Statistique Canada, no 82-003-XPF au catalogue · Rapports sur la santé, vol. 22, no 3, septembre 2011, consulté le 8 juillet 2013; http://www.statcan.gc.ca/pub/82-003-x/2011003/article/11540-fra.pdf.

19 Association québécoise des allergies alimentaires (AQAA); http://www.aqaa.qc.ca.

20 *À propos des réactions allergiques graves*. EpiPen 2013, consulté le 7 juillet 2013; http://epipen.ca/fr/.

21 Association québécoise des allergies alimentaires (AQAA); http://www.aqaa.qc.ca.

22 Association québécoise des allergies alimentaires (AQAA); http://www.aqaa.qc.ca.

23 *Mieux vivre avec notre enfant de la grossesse à deux ans*, Institut national de santé publique du Québec, 2013, consulté le 22 août 2013; http://www.inspq.qc.ca/MieuxVivre/.

24 *Mieux vivre avec notre enfant de la grossesse à deux ans*, Institut national de santé publique du Québec, 2013, consulté le 22 août 2013; http://www.inspq.qc.ca/MieuxVivre/.

25 Santé Canada, *La nutrition du nourrisson né à terme et en santé : Recommandations pour l'enfant âgé de 6 à 24 mois*, consulté le 22 août 2013; http://www.hc-sc.gc.ca/.

« Ma grand-mère, un peu pompette,
a dit une fois: "Les enfants, c'est comme les pets;
on ne supporte que les siens!" »

GILLES BARBOT, ATHLÈTE ET CHEF D'ENTREPRISE, PAPA
DE LOUIS (12 ANS), DE VIANNEY (9 ANS), DE NINA (2 ANS) ET DE BÉBÉ MALO

Table des matières

Table des matières

Vivre avec les allergies

Premières bouchées